Duizend kilometer

Van Elle van den Bogaart verschenen ook:

De gele scooter (2003; Debutantenprijs Jonge Jury 2005)
Krassen (2004)
Prooi (2006)
Vermist (2008)

Elle van den Bogaart

Duizend kilometer

Van Holkema & Warendorf

Met dank aan:
Ronald en Trees.
Stephanie, David, Jordi, Glenn en Robert.

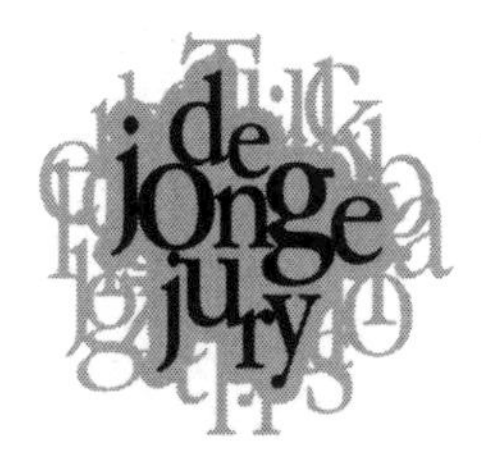

ISBN 978 90 475 1360 5
NUR 284

Unieboek BV, Postbus 97, 3990 DB Houten
www.unieboek.nl

Tekst: Elle van den Bogaart
Omslagontwerp: Ontwerpstudio Bosgra BNO
Foto omslag: Getty Images en Patrick Sheándell O'Carroll, PhotoAlto
Zetwerk binnenwerk: ZetSpiegel, Best

I

Suzie

Persoon: Suzie de Winter
Leeftijd: 15
Reden plaatsing zorgproject: lid van groep Albanese jongeren die regelmatig in aanraking met de politie is gekomen.
Een jaar geleden werd ze verdacht van medeplichtigheid van ontvoering van een 14-jarig meisje. Er zouden naaktfoto's van het meisje zijn gemaakt, maar die zijn nooit gevonden. Suzie ontkent betrokkenheid en er is niet voldoende bewijslast.
Schorsing van school vanwege veelvuldig verzuim.
Geen ontzag voor moeder, die haar alleen opvoedt.

'Heb je je nieuwe bikini ook meegenomen?' vraagt haar moeder nerveus, terwijl ze de treinkaartjes in haar tas opbergt en tegenover haar gaat zitten.
Ze hadden na een kwartier trekken en duwen drie lege plaatsen in het laatste treinstel gevonden.
'Denk je nu echt dat we daar kunnen zwemmen?' vraagt ze haar moeder, terwijl ze een geïrriteerde blik in haar richting werpt en zich op de stoel laat vallen.
'Natuurlijk! Je doet net alsof je naar een gesloten inrichting gaat. Je weet best dat dat onzin is.'
Ze heeft geen zin om weer in discussie te gaan. Negen van de tien keer is het resultaat een paar uur, of zelfs dagen, geen woord meer met elkaar wisselen.
De afgelopen week had haar moeder als een gestreste kip aan haar kop gezeurd of ze echt wel alles had ingepakt. De meest nutteloze cadeautjes die je je voor kunt stellen had ze van haar gekre-

gen. Twaalf gelpennen, slippers, een radio in de vorm van een auto, een depressieve badjas, een fotolijstje en een dagboekje. Wel ja, alsof ze behoefte zou hebben om haar gevoelens op papier te zetten.

Het was niet de eerste keer geweest dat haar moeder haar schuldgevoel had willen afkopen.

Gisterenavond nog had ze voor de zoveelste keer haar dochter met een brok in haar keel toegesproken. 'Suzie, het is voor je eigen bestwil. Ik voel me er heel vervelend bij, maar ik moet dit doen om jou de kans te geven een goede toekomst op te bouwen.'

Naast haar moeder heeft Christine, de jongerenbegeleidster van stichting jeugdzorg plaatsgenomen. De dames hadden besloten dat ze beiden de reis per trein naar Zuid-Frankrijk wilden maken. Christine was dus ook in de smeekbede van mevrouw De Winter getrapt om haar dochter persoonlijk af te mogen leveren. Die twee kunnen het zo te zien goed met elkaar vinden. Ze praten over hun gevoelens alsof ze al jaren beste vriendinnen zijn. Haar moeder die praat over haar gevoelens. Dat is dan voor het eerst!

Omdat ze totaal niet geïnteresseerd is in hun gesprek, zet ze haar mp3-speler aan en stopt ze nog een kauwgompje in haar mond.

Gina zal wel blij zijn dat ze is opgerot. Wat heeft haar zus vaak geroepen dat ze niet kon wachten op het moment dat haar kleine zusje voorgoed uit haar leven zou verdwijnen. Ze hebben niet eens afscheid van elkaar genomen. Gina moest zo nodig bij haar vriendje zijn. Zeker meneer zijn rotzooi opruimen, of een vette uitsmijter voor zijn neus zetten? Wat ziet ze toch in die vent?

'Suus, wil je wat drinken?' vraagt haar moeder overdreven vriendelijk.

'Ja, maar ik moet eerst even naar de wc.'

Ze maakt de coupédeur open en loopt naar het gangpad. Het lampje is groen.

Waarom kijken al die mensen haar aan? Zijn piercings in Frankrijk soms verboden? Ze heeft zin om haar tong uit te steken en het gouden knopje te showen.

De stank op de wc is niet te harden. Ze heeft al de hele morgen buikkrampen. Vreemd, want ze moet toch pas over een week ongesteld worden?
Als ze weer staat, kijkt ze in de spiegel. Ze maakt haar handen nat en probeert de haarpieken zo recht mogelijk op haar hoofd te laten staan.
Nadat ze haar lippen heeft bijgewerkt, pakt ze haar portemonnee uit haar broekzak. Zorgvuldig opent ze de rits, haalt er een plat doosje uit en schudt het een paar keer heen en weer. Het geluid van de pillen geeft haar een relaxed gevoel. Niet vergeten het doosje straks goed te verbergen. Als ze het doosje terugstopt, kijken de ogen van Mirsad haar aan. Voorzichtig schuift ze de foto uit het plastic hoesje. Zijn donkere ogen stralen en zijn mond lacht. De laatste maanden had hij die lach steeds minder laten zien. Ze moet ervoor zorgen dat ze contact met hem houdt. De angst dat hij haar alsnog verlinkt, wordt groter nu ze hem een lange tijd niet zal zien. Hij moet blijven geloven dat hij de enige voor haar is.
Er wordt met veel lawaai op de deur gebonkt. Snel stopt ze de foto terug en gooit de deur expres te hard open. Zonder om te kijken loopt ze terug naar haar plaats.
De dames zijn nog altijd druk in gesprek. Er staat een blikje cola op haar stoel. Als ze weer tegenover hen zit, duwt ze het klipje naar binnen en neemt een iets te grote slok. De boer die volgt is hard genoeg om haar moeder en Christine te onderbreken.
'Suus!' zegt haar moeder verontwaardigd.
De beltoon van haar mobieltje redt haar van meer commentaar.
'Met Suzie.'
'Hoi, met Gina.'
Haar zus, de laatste die ze had verwacht. Aan haar heeft ze op dit moment absoluut geen behoefte.
'Suus, sorry, ik was te laat om je gedag te zeggen.'
'Ja, dat heb ik gemerkt.'
'Ik was het wel van plan, maar Wesleys auto wilde niet starten en

toen heb ik hem naar zijn werk gebracht. Hij is gisteren begonnen met een nieuwe baan en hij wilde natuurlijk een goede indruk maken.'
'Dat zal niet meevallen.' Het is eruit voordat ze het weet.
'Nou ja, ach laat maar, je kent hem niet eens,' zegt Gina geïrriteerd.
'Gelukkig maar, hij is niet mijn type.'
'Waar ben je nu?' vraagt haar zus, die natuurlijk graag op een ander onderwerp wil overstappen.
'Vlak bij Parijs geloof ik.'
'Suus, het zal je goed doen en voordat je het weet ben je weer thuis.'
'Alsof jij daar op zit te wachten, of mis je het bekvechten nu al?'
'Nee, we gaan het anders doen. Ik ga het ook anders aanpakken. We kunnen samen gaan stappen of nog beter...'
'Gina, ik moet ophangen. We gaan overstappen.'
'Oké, hou je taai zusje. Ik hou van je.'
Daar heb ik dan weinig van gemerkt, zou ze willen zeggen, maar wat heeft het voor zin?
Ze zucht een keer en zegt op een gemaakt vriendelijke toon: 'Ik bel je nog.' Haar mobieltje verdwijnt in haar rugtas.
'Het duurt nog zeker een halfuur voordat we overstappen,' zegt Christine verbaasd.
Waarom bemoeit die vrouw zich toch overal mee?

Vanaf Parijs is het een stuk rustiger in de trein. Ze hebben zelfs de luxe van een privé-coupé.
Als alles goed gaat, komen ze rond zes uur aan.
Ze voelt zich nerveuzer dan ze had verwacht. Het idee dat ze maandenlang met wildvreemde mensen zit opgezadeld, is bepaald geen relaxed idee. Alhoewel, als er een lekkere stoere bink bij zit...
Ze willen natuurlijk alles van me weten en me van top tot teen bekijken. Het doet haar denken aan de eerste dag op die nieuwe

school. Omdat haar moeder zo nodig in de buurt van haar vriend had willen wonen, waren ze drie jaar geleden onder zwaar protest van haar zus en niet minder van haarzelf naar Amsterdam verhuisd.

Haar nieuwe klasgenoten uit brugklas 1G hadden haar aangekeken alsof ze regelrecht van een andere planeet was gekomen. Die stomme kwijlende gezichten. Dat achterbakse gegiechel. Nachten had ze er niet van kunnen slapen. Later had Mira haar verteld dat ze haar een softie hadden gevonden met haar gebatikte broek en foute flowerschoenen.

Zullen ze nu niet meer in hun hoofd halen. Suzie en soft, nee dat had ze de laatste tijd toch wel heel duidelijk bewezen. Niemand, maar dan ook niemand had het lef om kritiek op haar te leveren. Blijf uit de buurt van stalen Suzie, was een veel gehoorde waarschuwing.

'Suzie, je weet toch dat je je mobieltje straks moet inleveren?' vraagt Christine.

Ze knikt. Het reservemobieltje dat ze van Mirsad heeft gekregen zit veilig in haar sokken, onder in haar koffer.

Plotseling wordt de deur van hun coupé met veel lawaai opengemaakt. Er staan drie zwaarbepakte knullen voor haar neus.

'Kunnen wij hier zitten?' vraagt een van hen. Duidelijk de knapste.

'Wat mij betreft wel,' zegt ze zonder haar moeder en Christine aan te kijken. Hoe wist hij trouwens dat ze Nederlands verstaat? Eindelijk gebeurt er weer iets.

De drie jongens leggen hun rugtassen in het rek en staan daarna onhandig om zich heen te kijken.

Er zijn twee plaatsen naast haar, en één naast haar moeder vrij. De grootste jongen, met een vet gave broek aan, neemt het initiatief en gaat naast haar op de bank zitten. Naast hem neemt de jongen met zwart haar en een wenkbrauwpiercing plaats. Voor mister handsome blijft er dus maar één plaats over: die tegenover haar. Hij heeft een geschoren kop, een tattoo in zijn nek en waarschijn-

lijk is hij een vaste klant van de sportschool. Als hij gaat zitten, raken zijn voeten een moment haar schoenen. Hij kijkt haar aan en lacht.
Ze lacht terug. Hij is knap, echt knap.
'Waar ga je naartoe?' vraagt hij haar even later.
Waarschijnlijk denkt hij dat ze alleen is. Heel goed.
'Naar het zuiden.' Haar stem klinkt stoerder dan ze zich voelt.
'Helemaal alleen?'
Ze kijkt vluchtig naar de gezichten van haar moeder en Christine. Beiden staren in haar richting met opgetrokken wenkbrauwen en halfopen mond. Houd je kop dames, verpest het niet.
'Ik ga mijn ouders opzoeken. Ze verhuren ski-appartementen,' antwoordt ze zonder blikken of blozen.
Ze weet dat haar moeder nu op haar speciale 'nou ja'-manier kijkt, maar ze ontwijkt haar blik.
Het is te spannend om met het spelletje te stoppen.
'Wij gaan ook naar het zuiden. We hebben nog geen idee waar we uitkomen. De afspraak is dat we stoppen waar het ons bevalt,' zegt de jongen, nog altijd lachend.
Ik wil met ze mee. Ik wil zelf bepalen waar ik naartoe ga, denkt ze, terwijl ze probeert of ze zonder haar hoofd te draaien nog een glimp van de dames tegenover haar kan opvangen.
'Waar zijn die appartementen?' vraagt mister smile.
Er schiet haar helemaal niets te binnen. 'Oh, in een heel klein gehucht. Ik weet niet eens de naam. Ergens in mijn tas zit een blaadje waar het adres op staat.'
'Misschien is het ook wel iets voor ons. Dat is het voordeel als je niets besproken hebt. Valt er veel te beleven?' vraagt de jongen naast haar.
Ze voelt zich toch niet helemaal op haar gemak en is ervan overtuigd dat haar hoofd de kleur van een tomaat heeft aangenomen.
'Je kunt er lekker chillen, maar ik geloof dat alles vol zit, helaas,' antwoordt ze zonder iemand in het bijzonder aan te kijken.
Ze voelt dat haar overbuurman steeds naar haar kijkt. Ze glim-

lacht, maar kijkt hem nog niet aan. Dit spelletje heeft ze vaker gespeeld. Wachten en de spanning opvoeren. Na een paar minuten je hoofd langzaam oprichten. Je droge lippen in slowmotion met je tong bevochtigen. Er zeker van zijn dat de piercing goed te zien is, en dan pats: recht in zijn ogen kijken en dit zeker tien seconden volhouden.
Ook dit keer werkt het. Hij blijft haar strak aankijken, lacht en laat heel even het puntje van zijn tong zien.
Dan maakt de trein een oorverdovend piepend geluid en na een tiental schokkende bewegingen staat hij stil op een middeleeuws perron. Haar handen belanden op de benen van haar overbuurman. Hij vangt haar op en houdt haar even stevig vast.
Haar moeder en Christine zitten kaarsrecht. Waarschijnlijk zo geschokt dat ze nog altijd geen woord kunnen uitbrengen.
Uit de luidspreker is de stem van een Fransman te horen. Ze begrijpt dat er een probleem is en dat ze moeten overstappen.
De jongen tegenover haar buigt zich naar voren en vraagt uitdagend: 'Ik ben Jon. Mag ik je 06-nummer hebben voor het geval we helemaal niets kunnen vinden? Dit is mijn nummer.' Hij scheurt het label van zijn tas en heeft daarna nogal opvallend veel tijd nodig om zijn nummer te noteren. Terwijl hij haar het dichtgevouwen papiertje geeft, pakt hij zijn rugtas uit het rek en gooit hem over zijn schouder. Hij maakt een kusbeweging met zijn mooie mond en steekt zijn duim omhoog.'Hou je taai, ik zie je.' En weg is hij, zijn vrienden achterna.
Ze vouwt het papiertje open en negeert het gezucht van de dames tegenover haar. Haar moeder kan het niet laten om een paar van haar standaarduitspraken te jammeren: 'Ik ben lucht voor mijn eigen dochter. Schaam je je weer eens voor me?'
Zonder op te kijken leest ze de woorden op het label. Ze hebben ongeveer hetzelfde effect als het eerste halfuur na een pilletje.
Jon, yes, bingo.

2

Stephan

Persoon: Stephan de Ruig
Leeftijd: 17
Reden plaatsing zorgproject: betrokken bij inbraken en vechtpartijen. Behoort tot de harde kern van Ajax.
Twee keer opgepakt vanwege agressief gedrag.
Twee keer gedoubleerd 3-vmbo. Ernstige problemen met gezag.
Sinds twee jaar regelmatig blowen.
Veel schulden gemaakt.

PARIJS 50, leest hij op het bord dat in de verte boven de weg hangt. Over zeven, misschien acht uur zijn ze bij zijn nieuwe thuis. Zo werd het in de folder genoemd. Hij herinnert zich nog de eerste regels: *Even helemaal weg uit Nederland om te ontdekken wie je bent en wat je wilt. Weer perspectief ervaren.*
Hij haat dat therapeutische gelul. Als ze daar ook zo aan zijn kop gaan zeuren, zal hij de eerste zijn die zijn koffers pakt. Hulpverleners zouden een andere hobby moeten kiezen. Iets met houtbewerking of zo.
'Stephan, ik moet zo meteen tanken. We kunnen dan iets eten als je wilt,' zegt zijn begeleider Paul.
'Oké.'
Paul is een goeie gozer. Oké, ook hij zeurt te veel en bemoeit zich ongevraagd met andermans zaken, maar er zijn momenten waarop ze het wel met elkaar kunnen vinden. Zoals een paar weken geleden, toen hij van Paul de opdracht had gekregen zijn toekomstplannen op papier te zetten. Ze weten echt niet wat ze van je vragen. Alsof je het even op kunt zoeken op internet. Paul had

het omgedraaid en hem gevraagd wat hij níét wilde in de toekomst. Dat was een makkie: schulden, te weinig geld, hard werken, gezeik met zijn vrienden, ouders en leraren, dat Ajax verliest van Feyenoord etcetera. Zo waren ze er samen uitgekomen en was de aanmeldingsbrief zowaar door de commissie goedgekeurd.

Het parkeerterrein bij het wegrestaurant is stampvol. Als hij uitstapt komt de gure, koude wind hem tegemoet.

Hij trekt de klep van zijn Ajax-pet zo ver mogelijk naar beneden. Behoefte aan frisse lucht heeft hij niet, en nog veel minder aan vrolijke vakantiegezichten. Zo te zien gaan ze allemaal skiën. De snobs.

Nadat ze twee trappen hebben beklommen, komen ze in een stampvolle eettent. Overal waar hij kijkt ziet hij dikke, zweterige mensen gekleed in de nieuwste sportoutfits. Alsof die stijve harken in staat zijn een berg af te gaan.

Paul loopt naar de bar, waar allerlei snacks zijn uitgestald, en roept: 'Stephan, waar heb je zin in?'

'Gewoon een Hollands broodje met kaas of ham.'

'Oké, zoek maar een plaatsje,' antwoordt Paul, terwijl hij aanschuift in de lange rij.

Rechts achterin is nog een tafeltje vrij. Als hij op drie meter afstand is, ploffen twee hoogbejaarde dames, die er in hun roze trainingspakken uitzien als volgevreten varkens, op de stoelen die toch echt voor hem bestemd waren.

Met grote passen loopt hij in hun richting en werpt hij een blik op hun volle dienbladen. Vette kip, iets wat op kots lijkt en een megabak ijs staan te wachten om door de strotten van de dames gepropt te worden. Hij zet beide handen op het tafeltje, buigt zich langzaam naar voren en zegt met een allervriendelijkste stem: 'Ja hoor, die paar kilo's kunnen er ook nog wel bij.'

Als hij zich weer overeind duwt, valt zijn blik op een enorme portemonnee in een openstaande tas van een van de dames. Hij aar-

zelt. Snel grijpen en wegrennen? Doen alsof hij struikelt en tijdens de val zijn slag slaan of gewoon afblijven?
Zijn linkervoet glijdt naar achter en zijn rechterknie belandt op de grond. In zijn val draait hij zijn bovenlijf een kwartslag, grijpt de portemonnee en stopt hem in een snelle beweging in zijn jaszak. Als ze voor hem waren opgestaan had hij ze niet genaaid, maar op deze manier...
De dames staren hem met open mond aan.
'Ça va?' zegt degene die zich probeert over hem heen te buigen.
Hij knikt en staat langzaam op. Als hij naar de uitgang loopt, probeert hij zo strak mogelijk voor zich uit te kijken en zijn pas niet te versnellen. De zenuwen gieren door zijn lijf.
Buiten gekomen rent hij naar de auto. Hij verschuilt zich achter de vrachtauto die naast de auto van Paul staat. Hij leunt met zijn rug tegen de zijkant en rukt de portemonnee uit zijn zak. Met trillerige vingers opent hij de rits. Minstens tweehonderd euro. Hij graait de briefjes eruit, stopt ze in zijn jas bij de vijfentwintig euro zakgeld en schopt het leren geval met de pasjes er nog in onder de vrachtauto.
Langzaam loopt hij terug naar de auto van Paul en kijkt ondertussen oplettend naar de uitgang van het restaurant. Tientallen mensen lopen zijn richting uit, maar nog geen roze bejaarde dames of Paul. Waar blijft hij nou? Hij gaat tegen de achterkant van Pauls auto staan en ademt een paar keer heel diep in en weer uit.
De hand op zijn schouder doet hem verstijven. Hij draait zich om en kijkt in de verbaasde ogen van Paul.
'Waarom heb je niet even op me gewacht, man? Ik heb de hele tent afgezocht.'
'Er was geen plek. Kunnen we gaan? Ik sterf van de kou,' antwoordt hij geïrriteerd, maar hij voelt zich ook enigszins opgelucht.
Paul zet het eten op het dak van de auto. 'Ik wil dit liever buiten opeten.'
'Kom op nou, mijn vingers vriezen er zowat af.' Hij loopt alvast demonstratief naar het portier van de auto.

Paul opent met tegenzin de deur en loopt mokkend met de twee dozen naar de bestuurderskant. Als ze beiden zitten, wordt de doos op zijn schoot geschoven.
'Kunnen we niet gewoon rijden, alsjeblieft?'
'Nou ja zeg, wat heb jij? Ik eet eerst mijn broodjes op,' is het snauwerige antwoord van Paul, die een grote hap van zijn broodje neemt.
Er zit voor hem ook niets anders op dan de doos te openen. Hij neemt een hap, maar het brood wil niet door zijn keel glijden. Ze moeten nu weg van deze onheilsplek.
Dan gaat tot overmaat van ramp het berichttoontje van zijn mobieltje.
'Zo, ze missen je nu al, populaire gast. Wil je niet weten wie het is?' vraagt Paul.
'Nee, ik kijk straks wel. Kunnen we nu gaan?'
'Jongen, het is niet te geloven. Ik weet dat er in de aanmeldingsbrief staat dat je gemotiveerd bent, maar dat je zo dolenthousiast bent is totaal nieuw voor me. Maar jij je zin.'
Paul start de auto en langzaam rijden ze het parkeerterrein af.
Hij knikt even dankbaar naar Paul en een golf van opluchting beweegt zich langzaam van zijn hoofd naar zijn tenen. Het blijft kicken als het lukt.
'Denk jij dat die andere griet er al is?' vraagt hij zo nonchalant mogelijk aan Paul.
'Weet ik niet, maar zij arriveert ook vandaag of morgen.'
'Ik ben benieuwd wat voor tuig ze hebben uitgezocht,' zegt hij met een cynisch lachje.
'Ja, het is wel vreemd dat ze zo'n goeie gozer als Stephan de Ruig daartussen zetten,' antwoordt Paul doodernstig.
Als ze een minuut of tien hebben gereden voelt hij de spanning wegzakken en zet hij de koptelefoon van zijn mp3-speler weer op. Het berichtje! Hij voelt met zijn rechterhand in zijn jaszak, haalt zijn mobieltje tevoorschijn en opent het bericht.
Je betaalt alles terug.

Geen afzender. Alsof hij het niet kan raden. Misschien kan Paul hem helpen, niet met het terugbetalen, maar wel om van die gasten af te komen. Hij hoeft Paul niet alles te vertellen. Dat zou wel heel erg stom zijn. Als hij alleen die zaak met de pinpassen opbiecht?
Hij stopt het mobieltje terug. Op het moment dat hij zijn ogen wil sluiten, voelt hij iets uit zijn zak glijden. Tot zijn schrik ziet hij Paul met minstens vier bankbiljetten voor zijn neus wapperen.
'Mag ik vragen hoe je hieraan komt?'

3

Ilias

Persoon: Ilias Odimir
Leeftijd: 16
Reden plaatsing zorgproject: joyriden. Opgepakt na een aanrijding waarbij gewonden zijn gevallen.
Een aantal maal betrokken geweest bij vechtpartijen en eerder dit jaar opgepakt vanwege voetbalvandalisme. Het betrof vernielen van auto's en winkelruiten.
Na het joyride-incident is Ilias verstoten door vader.
Tot de leeftijd van 14 jaar heeft hij goede resultaten op school behaald en stond hij bekend als een aardige, sociale jongen.

Helemaal gesloopt voelt hij zich. Het is eigenlijk niet toegestaan om 's middags op bed te gaan liggen, maar vandaag heeft hij een zeer goede reden. Op zondag, wanneer ieder normaal mens rust, was hij zo goed geweest Willem te helpen. De hele morgen had hij duizenden stenen gesjouwd voor de nieuwe buitenmuren van het bakhuisje. Zijn zachte bruine handen zijn veranderd in eelterige harde knoesten. Hij haat vuil werk.
En dan ook nog vandaag twee nieuwe huisgenoten.
Als het goed is, zullen ze in het begin van de avond arriveren. Stephan en Suzie. Er is gelukkig nog voldoende tijd om uitgebreid te douchen en uit te rusten. Hij wil zijn nieuwe witte broek aantrekken. Een beetje indruk maken kan geen kwaad. Wie weet is die Suzie een lekker stuk. Niet dat Kim verkeerd is, integendeel, maar als er iemand van het mannelijke geslacht in haar buurt komt, reageert ze meestal alsof een langharige spin haar wil bespringen. Alhoewel: de laatste weken reageerde Kim minder ang-

stig op hem. Misschien komt dat ook wel omdat ze de laatste tijd nog maar met zijn tweetjes waren.
Gisteren hadden ze tijdens het opruimen van de kamers zelfs gekeet met elkaar. Ze had hem tot zijn verbazing heel even vastgehouden toen hij haar had verteld dat hij het zo jammer vond dat ze zo weinig over zichzelf wilde vertellen.
Met het beeld van Kim in zijn hoofd, laat hij zich nog even heerlijk achterover op zijn zachte bed vallen.
Hij heeft een mooi uitzicht: alle Feyenoord-spelers van de laatste drie jaar. Zijn Feyenoord, zijn club. Als hij halverwege is met het hardop groeten van zijn voetbalvrienden, wordt zijn naam beneden aan de trap geschreeuwd. Het klinkt niet gezellig.
Willem, the big boss, staat beneden aan de trap op hem te wachten, en nog voordat hij van de laatste trede stapt buldert Willem: 'Hoe krijg je het verzonnen om een hoop stenen midden op de oprijlaan te gooien? Waar zit je verstand? Niemand kan er nu langs!'
Willem is een goeie vent, maar nu gaat hij toch te ver.
Alsof hij voor zijn plezier de hele morgen vieze zware stenen heeft gesjouwd. De blaren staan in zijn handen en dan nu dit. Hij gaat voor Willem staan en kijkt hem enkele seconden recht in de ogen. Woede jaagt door zijn lijf, zijn vingers doen pijn van het knijpen, zijn tanden knarsen op elkaar. Hij kan de woorden niet tegenhouden. 'Klootzak, wat ben jij een klootzak.'
Opgefokt loopt hij naar buiten. Het is niet eerlijk. Hij heeft zich de hele morgen uitgesloofd om te bewijzen dat hij niet bang is zijn handjes vuil te maken. Shit, shit, shit. De afspraak om eerst tot tien te tellen en niet weg te lopen, is hiermee weer geschonden. Willem is soms zo'n eikel, een botte boer.
Terwijl hij met grote passen naar de houtwal loopt, komt het gezicht van zijn vader in beeld. 'Waar zit je verstand?' Hij hoort de stem van zijn vader en ziet zijn donkere dwingende ogen voor zich. Ja hoor, wrijf het er nog maar eens in.
Als hij iemand wil bewijzen dat er niets mis is met zijn hersenen,

is het wel zijn vader. Oké, hij heeft fouten gemaakt, maar dat wil niet zeggen dat ze hem daar zijn leven lang op af moeten rekenen. Hij nadert de boomhut die hij een paar maanden geleden samen met Rudi heeft gemaakt. De plek waar hij met rust wordt gelaten. Als hij vijf meter boven de grond zit, kan hij zijn gierende motor in een lagere versnelling zetten. In de verte zijn de stallen en de boerderij in de mist gehuld. Nog even en alles is weg. Eén grote verdwijntruc.

Maar wat als hij op dit moment terug zou zijn in Nederland? Ze zullen hem opwachten. Nee, niet zijn familie, maar zijn zogenaamde vrienden. Hij staat op en loopt naar de achterwand van de hut. Voorzichtig tilt hij de losliggende plank op, haalt er een plastic zak onder vandaan en maakt hem open. Met zijn rechterhand pakt hij het pistool eruit en legt het op de vloer. De tekst op het dichtgevouwen papier kent hij uit zijn hoofd, maar iets in hem verplicht hem steeds weer de woorden hardop te lezen.

We hebben nog het een en ander met je af te rekenen. Het verraden van je vrienden kost je je kop.

Hartelijke groeten van je vrienden en niet te vergeten van je broertje. Hij loopt nu nog veilig rond, maar we kunnen hem natuurlijk verlinken, zoals jij met ons hebt gedaan.
Denk goed na en denk vooral aan je broertje.

PS. *Je kunt jezelf en ons ook een handje helpen door een kogel door je mooie bruine body te jagen.*

De envelop had hij twee weken geleden zelf uit de brievenbus gehaald. Het is de afspraak de binnengekomen post direct bij Willem of Janine in te leveren, maar het gewicht van de aan hem geadresseerde envelop had hem verleid de regels te schenden. Hij was helemaal over de zeik geweest toen hij het pistool uit het beschermplastic had gehaald en had niet het lef gehad zijn angst

met iemand te delen. In eerste instantie had hij zichzelf ervan proberen te overtuigen dat het een slap geintje was, maar sinds die dag slaapt hij slecht, schrikt hij regelmatig wakker van de afschuwelijkste beelden en verstijft hij bij geluiden die hij niet meteen kan plaatsen. Een paar keer heeft hij op het punt gestaan Willem en Janine in te lichten, maar wat kunnen zij op deze afstand doen aan de dreiging van die klootzakken? Ze spelen een heel vies, slim spelletje door zijn broertje erbij te betrekken. Ze hebben tot nu toe niets meer laten horen, dus misschien was het toch een geintje. Hij stopt de envelop en het pistool zorgvuldig terug en gaat rechtop staan. Heel diep ademhalen en teruggaan. Excuses aanbieden, douchen en vriendelijk zijn tegen de nieuwelingen.
Het voelt wel goed dat hij degene is die hier het langst zit. De eerste dagen was het behoorlijk afzien geweest. Hij had 's avonds in zijn bed gehuild. Wat had hij zijn familie gemist.

Als hij bijna bij de achterdeur is, haalt hij nog maar eens een keer diep adem. Janine en Kim staan aan het aanrecht in de keuken. Ze kijken beiden om als hij binnenkomt.
'Ik denk dat het slim is om Willem te helpen met de stenen,' zegt Janine en ze gaat door met het snijden van de groenten.
Kim draait zich ook om en kijkt hem bezorgd aan.
Zonder iets te zeggen draait hij zich om en gooit de deur hard dicht.
Niet weer die klotestenen sjouwen. Dat kan morgen toch ook?
Hij loopt richting het bakhuis, maar bedenkt zich halverwege. Ze bekijken het maar. Een beetje respect was toch wel op zijn plaats geweest.
Dit keer gaat hij via het jongerenhuis naar binnen en loopt hij regelrecht naar zijn kamer, waar hij zich languit op zijn bed laat vallen.
Zeik me maar af, ik ben het gewend.

4

Kim

Persoon: Kim Tasman
Leeftijd: 17
Reden plaatsing zorgproject: zeer problematische thuissituatie. Vader verdacht van seksueel misbruik van zijn dochter. Moeder heeft psychische problemen. Kim krijgt geen steun van haar ouders.
Ze heeft een zeer negatief zelfbeeld en heeft contactproblemen.
Ze is voorlopig met haar studie gestopt.

Als Janine niet zo oplettend was geweest, had ze voor de tweede keer de melk laten overkoken.
'Shit, ik kap ermee, dit wordt helemaal niks,' zegt ze half huilend tegen zichzelf.
'Natuurlijk wel, kom op, we hebben nog tijd genoeg en als het echt mislukt hebben we nog een toetje in de diepvries staan,' zegt Janine met een lach.
Het zijn de zenuwen. Ze was hier net een beetje gewend, maar dat gaat vandaag weer helemaal veranderen. Het liefst zou ze alles onder controle willen houden. Over een paar uur arriveren de nieuwe. Gelukkig is er weer een meisje bij.
Ilias is een lieve jongen, maar op een of andere manier lukt het haar nog niet om hem echt te vertrouwen.
Toch is er de laatste weken veel veranderd. Het voelt goed als ze samen zijn. Hij geeft haar het gevoel dat ze de moeite waard is, en sinds een lange tijd kan ze weer met iemand lachen. Maar toch: met jongens zal het nooit meer wat worden.
'Kim, de taart kan er over een kwartier uit. Ik ga even controleren of de kamers in orde zijn. Kun je het alleen?'

Ze knikt. Natuurlijk kan ze dat. De laatste jaren heeft ze het toch ook in haar eentje gered? Waar was haar moeder toen ze haar nodig had? Of haar mentor? Niemand, echt niemand had haar geholpen.
Het belletje van de oven rinkelt voordat het kwartier voorbij is. Ze schuift de ovenwanten aan haar handen en haalt voorzichtig de taart eruit. De geur is heerlijk. De laatste tijd is het haar opgevallen dat ze weer meer van geuren kan genieten. Alhoewel: de geitenstal of het kippenhok uitmesten is toch niet echt een feest.
Het was heerlijk om een paar weken een kamer alleen te hebben. De rust die het geeft als je 's avonds niet gespannen ligt te wachten of er iemand binnenkomt. Ze had zichzelf erop betrapt dat ze het zelfs plezierig vond als Ilias op de gang liep of onder de douche stond.
Toch komt de boosheid als een agressief beest naar boven als ze aan de laatste twee jaren denkt. Zal dit gevoel ooit overgaan? Het gevoel van walging zit vastgekleefd aan haar botten.
Als ze een handdoek uit het keukenkastje haalt, knalt het hangertje dat om haar nek hangt tegen het aanrecht. Gelukkig blijft het heel. Ze had het van haar moeder gekregen.
Haar moeder... Hoe zal het met haar gaan? Ze zal op dit moment waarschijnlijk op de bank liggen. Als een zombie had ze zich de laatste tijd voortgesleept van de bank naar het toilet en weer terug. Niemand had tot haar kunnen doordringen.
Wat moet je als je moeder niet te bereiken is, je vader geen woord met je wisselt en je broer met de noorderzon is vertrokken? Haar broer Ronnie. Ooit zal hij zijn mond voorbijpraten. Ooit zal het allemaal uitkomen. Zal ook hij zijn straf moeten uitzitten.
Als ze haar handen voor de tweede keer wast, komt Janine weer de keuken binnen.
'En, hoe is het met de taart?'
'Daar staat hij.'
'Geweldig meid, zie je wel, je kunt veel meer dan je denkt.'
Alleen het lukken van de taart kan haar daarvan niet overtuigen,

maar een complimentje en de hand van Janine op haar schouder, doen haar goed.
Het is haar nog steeds niet gelukt Janine de hele waarheid te vertellen. Niemand, behalve zijzelf en haar dagboek kent het hele verhaal.
'Janine, kan ik nog even douchen?'
'Kim, je weet onze afspraak...'
'Ja, ja, ik ben nog niet geweest vandaag.'
'Oké.'

Terwijl ze zich uitkleedt, laat ze de douche op temperatuur komen. Dit duurt hier net even langer dan ze thuis gewend is. De eerste paar weken had ze volgens Janine meer tijd in de douche doorgebracht dan erbuiten. Het was en is nog steeds de enige manier voor haar om zich schoon te voelen, maar tegelijkertijd confronteert het haar telkens weer met haar blote lichaam. Het is een normaal lichaam van een meisje van zeventien, maar voor haar is het een vreemd lijf geworden. Alsof het van iemand anders is.
Ze had het verwarde gevoel met de psycholoog besproken. Die had haar uitgelegd dat het gevoel van vervreemding vaker voorkomt bij mensen die seksueel misbruikt zijn. Volgens de psycholoog moest ze weer leren van haar lichaam te houden.
Ze draait de warmwaterkraan iets verder open en sluit haar ogen. De beelden komen weer terug. Handen die haar lichaam betasten. Tongen die zich in haar mond willen boren. Zweterige, hijgende, beukende lijven. Ogen die haar aanstaren en haar aan wilde beesten doen denken.
Ze zeept haar armen in. Armen die te slap waren om haar lijf te beschermen. Had ze het wel genoeg geprobeerd? Zeep op haar benen. Benen die niet sterk genoeg waren om te stampen. Wat had ze gezegd? Niets. Ze was totaal overvallen door de bruutheid. Ongeloof. Haar eigen familie!
Ze draait de knop met een ruk dicht. Genoeg.

De kleren die ze heeft klaargelegd zijn nat geworden. Gatver, wat een stroef gedoe.
Wanneer ze zich heeft aangekleed, kijkt ze in de spiegel. Nog altijd is er niet echt contact met het vreemde meisje tegenover haar. Het is heerlijk om nog even alleen in de slaapkamer te zijn. Het verschil met thuis is dat het alleenzijn in dit huis haar geen eenzaam gevoel geeft. Eerder rust en veiligheid.
Ze denkt aan het gezicht van Ilias toen hij vanmiddag boos de keuken uit liep. Gisteren hadden ze samen nog zo veel lol gehad en had ze zelfs even op het punt gestaan hem te vertellen over haar leven, maar het was haar niet gelukt.
De foto op haar nachtkastje is gemaakt toen ze dertien werd. Een lachend meisje, gekleed in een kort rokje en een topje. Haar haren in een staart en in haar oren de nieuwe oorbellen die ze van haar vriendin had gekregen. Met haar roodgekleurde lippen probeert ze op een zwoele manier naar de camera te lachen.

Je daagt het zelf uit. Meisje, geef toe, je vindt het lekker.

De woorden galmen na in haar hoofd en herhalen zich totdat ze de foto in haar nachtkastje gooit.

5

Suzie

Het briefje van mister handsome heeft ze zorgvuldig in haar tas opgeborgen. Of ze op zijn voorstel in zal gaan, is de vraag, maar het idee dat ze hem altijd kan bereiken, geeft haar een machtig gevoel. Waarschijnlijk is hij zo'n knul die voor haar door het slijk zal gaan. Het gevoel weer iemand in haar macht te hebben, maakt deze klotedag iets aangenamer.

Het is al donker als de taxichauffeur de weg naar de beloofde boerderij in rijdt. De treinstoring had hun twee uur vertraging opgeleverd.
Waar zijn ze in godsnaam terechtgekomen? Bomen, bomen en nog eens bomen.
Christine probeert tegen beter weten in de boel toch een beetje op te vrolijken. 'Als het licht is, ziet het er hier heel anders uit, hoor. De mooiste kleuren die je je voor kunt stellen, vooral de bergen achter de boerderij,' zegt ze overdreven vrolijk.
'Ja, hoor, heel erg mooi,' antwoordt ze, maar het interesseert haar niets. Haar gedachten zijn bij de jongen uit de trein. Ze zou hem morgen kunnen bellen.
'Voilà.' De taxichauffeur stopt de auto en wijst op de kilometerteller. 'Quarante euro, s'il vous plaît,' hoort ze hem zeggen.
Christine overhandigt hem het geld en ze stappen alle vier uit. De man haalt haar grote koffer en vier weekendtassen uit de auto.
'Bon vacances, mes dames,' zegt hij vriendelijk en hij spoedt zich weer naar zijn plaats.
Daar staan ze dan. Haar moeder staat te wankelen op haar veel te hoge hakken. Christine probeert haar kapsel nog wat te fat-

soeneren en zelf staart ze naar haar nieuwe oversized koffer.
'Hebben ze hier geen loopjongen?' vraagt ze mopperend.
'Nee, en ook geen sauna met bubbelbad,' antwoordt Christine.
Als ze vlak bij de achterdeur zijn, wordt deze door een grote, stevige vent opengemaakt.
'Ah, daar hebben we de dames. Kom snel binnen, jullie zullen wel moe en hongerig zijn. Ik neem die zware koffer wel,' zegt Tarzan.
Plotseling zijn ze er weer, die steken in haar buik. Ze staat stil en kreunt: 'Mam, heb je een paracetamol voor me, ik stik van de buikpijn.'
Haar moeder draait zich om en kijkt haar bezorgd aan. 'Ach schat, wat vervelend. Ze zitten in mijn toilettas. Als je even wacht, zal ik ze zo meteen binnen aan je geven.'
'Nee, ik wil ze nu hebben!' gilt ze. De man en Christine kijken verbaasd om, maar lopen daarna gewoon door. Haar moeder niet, die zou niet durven.
De toilettas wordt zonder nog een woord te zeggen uit de bagage gehaald en de pillenstrip wordt in haar handen geduwd.
'Ik heb geen water meer,' snauwt ze naar haar moeder.
'Ik ook niet, dus we zullen toch naar binnen moeten.'
Zwijgend loopt ze achter haar moeder aan naar de deur.

In de woonkeuken hangt een geur van verbrand hout en fritesvet. Christine zit met Tarzan aan de tafel. Aan het aanrecht staan een vrouw en een meisje van haar leeftijd. De vrouw en Tarzan komen tegelijkertijd op haar af. 'Dag Suzie, wij zijn Janine en Willem en dit is Kim.' De vrouw knikt naar het meisje aan het aanrecht dat haar amper aankijkt.
Haar moeder krijgt daarna een hand en wordt naar de tafel geleid.
De strip met paracetamol kleeft aan haar hand en het enige wat ze kan denken is: weg uit deze kamer en de andere verboden pillen, die nu nog in haar portemonnee zitten, veiligstellen.
'Kan ik even naar de wc?' vraagt ze aan de vrouw.

'Ja, hoor. De eerste deur links en dan aan het einde van de gang.'
Ze loopt langs allerlei kasten en komt in een ruimte waar meerdere douches en wc's zijn. Het is doodstil. Als ze in de spiegel haar kapsel wil controleren, schiet het beeld van de gangkasten door haar hoofd. De ideale plaats. Snel schiet ze een van de wc's binnen, stopt twee paracetamols in haar mond, neemt een slok water, plast in een recordtempo en trekt door. Op haar tenen loopt ze terug naar de gang.
In het eerste kastje staan allerlei potten jam, pindakaas en pasta. Daarnaast pakken rijst, pasta en aardappelpuree en daaronder schoonmaakspullen. Met een bonkend hart luistert ze of er iemand aan komt. Dan opent ze een zak met gele schoonmaakdoekjes. Ze haalt het doosje met pillen uit haar portemonnee, schuift het tussen de doekjes en stopt alles zorgvuldig terug in de zak. Helemaal achter in het kastje, onder een doos, lijkt haar het veiligst.
Met trillende benen loopt ze terug naar de keuken.
Willem staat op en schuift de stoel naast hem naar achter.'Ga zitten, Suzie, neem iets lekkers. Ik ga even kijken of ik Ilias kan opsporen.'
Ze schept een reepje groentetaart en een stukje kip zo groot als een suikerklontje op haar bord. Ze voelt de anderen kijken, maar ze zijn zo slim om hun mond te houden.
Er heerst een akelige stilte. Ze probeert een stukje groentetaart weg te slikken, maar het blijft halverwege haar keel steken. Die Kim ziet er wel kinderlijk uit.
'Suzie, als je het leuk vindt, kan Kim je zo meteen je kamer laten zien, maar eerst controleer ik je spullen,' zegt Janine alsof het de normaalste zaak van de wereld is. 'Als je sigaretten of shag bij je hebt, moet je deze inleveren. We voeren hier een ontmoedigingsbeleid.'
'Dat komt goed uit, want ik wilde toch al gaan minderen. Ik heb helemaal geen conditie meer.'
Het laatste is waar, maar stoppen met roken? Never.

Shit, het mobieltje.
Willem komt met een Marokkaan binnen, die naar voren wordt geduwd.
'Hallo, ik ben Ilias.' De jongen geeft haar een hand en gaat tegenover haar zitten. Even kan ze een glimp opvangen van zijn bruine ogen. Mooie jongen, maar een Marokkaan?
Ze rangschikt het eten nog maar eens en verzamelt moed. 'Ik weet dat het niet netjes is, maar ik krijg geen hap door mijn keel. Misschien mag ik even naar mijn kamer?'
Janine loopt naar de tassen. 'De voorste twee zijn van ons,' hoort ze haar moeder zeggen.
De bruine tas is het eerst aan de beurt. Daar zit het niet in. Als de speurneus de koffer openklikt, voelt ze het zweet in een straaltje van haar rug lopen. Ze kijkt niet en telt in gedachten tot vijftig. Ze hoort het slot weer dichtgaan en de rits van de laatste tas opengaan. Deze is safe. Dan Janines stem: 'Oké, Suzie, je kunt je spullen naar je kamer brengen. Kim, loop jij even mee?'
Als ze opkijkt, ziet ze de buit van de speurneus: drie pakken sigaretten.
Kim staat op en pakt een van de tassen. Ze pakt zelf de andere. Willem zal straks de koffer wel naar boven brengen, denkt ze.
Samen met Kim loopt ze door een lange gang, ze gaan de trap op en komen uiteindelijk op een grote zolder terecht. Er zijn twee kamers. Kim opent de deur van de rechterkamer.
Niet te geloven hoe netjes het hier is. De bedden zijn strak opgemaakt, nergens rondslingerende kleren, niet eens een sok of handdoek. Zelfs de spullen op de tafel zijn keurig geordend. Aan de muur hangt en poster van een pandabeer die een klein beertje in zijn armen houdt. Knullig.
Kim gaat op een van de bedden zitten. 'Dit is mijn bed. Ik lig graag bij de deur,' zegt ze.
'Prima hoor, mij maakt het niks uit. Is het hier altijd zo netjes, of heb je dat speciaal voor mij gedaan?'
'We hebben wel extra gestofzuigd, maar het is eigenlijk altijd zo.'

Als Kim ook maar één blik kon werpen in de varkensstal, zoals haar moeder haar kamer thuis noemt, zou ze waarschijnlijk flauwvallen.
'Hoe lang zit je hier al?' vraagt ze om snel op een ander onderwerp over te stappen.
'Elf weken,' antwoordt Kim.
'En, hoe is het hier?'
'In het begin vond ik het erg moeilijk, maar nu gaat het wel. Janine en Willem zijn best aardig. Je moet ze beter leren kennen.'
'En hoe is die Ilias?'
'Wel leuk,' is het nauwelijks hoorbare antwoord van Kim.
'Ik vind die Ilias wel een stuk, zeg. Heeft hij een vriendin?'
Kim haalt haar schouders op en kijkt haar niet aan.
'Maakt mij niet uit, hoor, ik heb al een halfjaar een relatie met Mirsad. Wil je een foto van hem zien?'
Kim knikt, maar echt enthousiast is anders.
Ze haalt de foto uit haar portemonnee en drukt er een stevige zoen op.
Als Kim de foto niet aanneemt, stopt ze hem weer terug.
'En jij? Heb jij verkering?'
Kim buigt weer haar hoofd en schudt van nee.
'Is het uit?'
Geen reactie.
'Ach, kom op, zo erg is dat toch niet? Ik zal je helpen bij het zoeken van een nieuwe lover. Alhoewel dat niet zal meevallen in dit gehucht.'
Kim kijkt haar aan alsof ze er helemaal niets van begrijpt.
'Op wat voor types val je? Welke seks vind je lekker? Buitenlanders? Blond? Rijk? Of doe je het liever met oudere mannen?'
Kim staat op, kijkt haar nog altijd als een zombie aan. Dan draait ze zich om naar de deur en heeft het lef om zonder een woord te zeggen haar achter te laten.
Niet bepaald een opwindend type, die Kim.

6

Stephan

Hij had de bankbiljetten uit de handen van Paul gerukt en verontwaardigd geroepen: 'Vertrouw je me soms niet, ik heb geld van mijn ouders gekregen.'
Paul had rustig gereageerd, maar het was niet duidelijk of hij het verhaal geloofde.
Als zijn ouders het verhaal niet konden bevestigen, zou zijn verblijf wel eens van erg korte duur kunnen zijn. Hij had het grootste gedeelte van het geld aan Paul moeten afstaan. Het was niet toegestaan meer dan vijfentwintig euro mee te nemen. Het overige geld zou deze week nog geretourneerd worden aan pa en ma De Ruig. Shit.
Omdat er een briefje van vijftig euro in zijn jaszak was blijven steken, had het geintje hem naast behoorlijk wat stress, dus toch nog iets extra's opgeleverd.
Met wat geld op zak heb je net wat meer mogelijkheden.

Het laatste dorpje dat ze passeren, voor ze de afgelegen weg naar de boerderij in rijden, ziet er verlaten uit. Echt geen bal te beleven.
Paul legt zijn hand even op zijn schouder en vraagt: 'Wat gaat er nu door je hoofd?'
'Waarom ik ingestemd heb om naar dit oerwoud te gaan. Wat heeft het voor nut om zo'n duizend kilometer van huis aan mijn leerdoelen te werken? Dat kan toch ook in een van die geweldige instellingen waar jij voor werkt?'
Paul reageert met een glimlach en stuurt de auto nog altijd de kronkelige steile weg op. Er is in de verste verte geen boerderij te bekennen.

Naar het dorp is dus een pokkeneind lopen. Tjonge, jonge, hoe houdt een normaal mens het hier vol?
Dan is daar plotseling de boerderij. Ze rijden bijna over een biggetje, dat geen enkele moeite doet zijn kop uit de modderpoel te halen.
'Ja, steek je kop maar in het zand, dat had ik ook beter kunnen doen,' zegt hij tegen het luie monster op de grond.
Nog voordat de auto stilstaat, komen er twee mensen naar buiten.
Paul stapt uit en loopt in de richting van de man en vrouw. Dat zou hij nu eigenlijk ook moeten doen, maar in plaats daarvan draait hij de volumeknop hoger en laat hij zich onderuitzakken.
De vrouw komt naar de auto en houdt haar hoofd voor het raam.
'Hallo, Stephan, ik ben Janine. Fijn dat je er bent. Er staat binnen een lekker stuk taart voor je. Daar heb je vast wel zin in.'
Zin in taart wel, maar geen zin in handjes schudden, vriendelijk kijken, of nog erger... praten, denkt hij.
Het is alsof ze zijn gedachten kan raden. 'Ik ga alvast naar binnen. Daar is het een stuk comfortabeler. Kom je zo meteen ook?'
Ze draait zich om en loopt met de twee mannen naar het woonhuis.
Daar zit hij dan. Het enige levende wezen in zijn buurt is het biggetje dat nog altijd met zijn kop in de rotzooi ligt.
Hij kan natuurlijk blijven zitten, maar het was toch wel een behoorlijk stuk rijden om alleen naar een biggetje en een boerderij te komen kijken.
Na een blik in de achteruitkijkspiegel verlaat hij de auto. Als hij zijn tas uit de kofferruimte haalt, hoort hij de achterdeur weer opengaan. Dit keer is de persoon die op hem af komt lopen een jongen van zijn leeftijd. Een Marokkaan.
'Hallo, ik moet je komen helpen met je spullen. Heb je nog meer te sjouwen?' vraagt de krullenbol.
'Laarzen en mijn jas, maar die kan ik echt zelf wel dragen, hoor.'
'Zoals je wilt.' En weg is de vreemdeling.

Deze situatie is erger dan het gezeik van zijn ouders, leraren en hulpverleners samen.
Hij sjokt naar de achterdeur en maakt die langzaam open.
Als hij zijn tas op de grond zet, stoppen de anderen met praten.
'Daar is ie dan. Welkom jongen, er is nog een plaatsje vrij voor je.'
Dat moet dus die Willem zijn.
Voordat hij naar de tafel loopt, neemt hij de ruimte in zich op. Die interesseert hem op dit moment meer dan de mensen. Zijn grote mocrovriend hangt op de bank met een koptelefoon op zijn hoofd. Naast hem zit een meisje in een tijdschrift te bladeren.
'Ilias, zet dat ding van je kop en stel je voor. Jij ook, Kim,' roept Willem.
De koptelefoon en het tijdschrift belanden op de tafel en zijn twee huisgenoten lopen zo te zien met tegenzin op hem af. Ze mompelen wat en geven hem een slap handje.
'En hoe was de reis?' hoort hij Willem vragen.
Wat een originele vragen worden hier gesteld. Straks vragen ze ook nog of hij het moeilijk vond om thuis weg te gaan.
De overige mensen worden aan hem voorgesteld en hij begrijpt dat het nieuwe meisje boven op haar kamer is.
Ze verwachten natuurlijk dat hij nu een leuk verhaal gaat vertellen, maar dan hebben ze pech gehad, want dat gaat niet gebeuren.
In plaats daarvan gaat hij op een van de lege stoelen zitten en pakt een groot stuk taart aan dat Janine voor zijn neus houdt.
Lekkere taart, maar dat gaat hij nu niet zeggen.
Janine neemt het woord. 'Stephan, je slaapt bij Ilias op de kamer. Als je wilt, kan hij je de kamer laten zien. Ik wil wel eerst je spullen controleren.'
Het eerste wat bij hem opkomt is haar duidelijk maken dat ze van zijn spullen af moet blijven, maar hij kan zich inhouden.
'Wat een vertrouwen, maar als je me graag wilt controleren, oké,' zegt hij geïrriteerd.
'We doen het bij iedereen, hoor. Heb je shag of sigaretten bij je?'
'Ja.'

'En waar heb je dat dan?'
'In het zijvakje van de tas, bij mijn mobiel.'
'Oké, rookwaren en telefoon inleveren. Ik geef je drie sigaretten per dag.'
Hij schudt zijn hoofd en gooit de vier pakjes en zijn mobiel op de tafel. Kankerzooi.
Het is beter naar zijn kamer te gaan, voordat hij te grof wordt, maar die mocro vragen?
Dan staat Ilias plotseling op en vraagt hem met een smile op zijn gezicht: 'Zal ik je je kamer laten zien?'
'Stephan, pak je tas en jas en kom even met me mee naar de kamer hiernaast,' zegt Janine.
Hij wil zich niet laten kennen en sjouwt achter haar aan.
'Zet je tas maar neer en kom hier staan.'
Dit is toch niet normaal?
Ze legt haar handen op zijn schouders en klopt nogal hard op zijn lijf naar beneden.
'Is dat je portemonnee?' vraagt ze als ze op zijn achterzak van zijn broek stuit.
'Ja.'
'Geef die maar aan mij en doe ook je schoenen uit.'
Hij is normaalgesproken niet snel met slaan, maar op dit moment jeuken zijn handen. Niet doen, geen vijanden maken.
Als hij zijn portemonnee heeft ingeleverd en zijn schoenen heeft uitgedaan, kan mevrouw haar werk doen.
'Wat zoek je eigenlijk?'
'Dingen die verboden zijn,' zegt ze neutraal en gaat verder met zijn tas. Daar zal ze niet veel in vinden.
'Je jas graag.'
Godver, wat stom van hem.
Ze haalt de vijfenzeventig euro tevoorschijn. 'Waarom zit dit geld in je jas? Het is toch bekend dat je niet meer dan vijfentwintig euro mag meenemen?'
'Dat wist ik niet,' antwoordt hij zo serieus mogelijk.

‘Ik zal het aan Paul geven,’ zegt ze en ze stopt het briefje van vijftig in haar zak.
Shit, Paul is niet gek.

Ilias staat bij de trap op hem te wachten.
Als ze op een grote zolder komen zwaait zijn kamergenoot een deur open en loopt naar binnen.
Als hij een paar seconden later ook de kamer betreedt, blijft hij plotsklaps stokstil staan. Het is alsof iemand hem een dreun op zijn kop geeft. Die muren. Die fucking posters.
Feyenoord, overal Feyenoord. Alles kan, behalve een kamer delen met een Feyenoorder!
Hij laat zijn tas op de grond vallen en kijkt naar het tevreden gezicht van Ilias. Dat hij Marokkaan is, oké, maar...
In gedachten hoort hij zijn vrienden zeggen: ‘Altijd opletten voor mocro’s.’ Ja, lekker makkelijk als je samen op één kamer slaapt.
‘Wat sta je nu vies te kijken, man, is er iets mis of zo?’ vraagt Ilias.
‘Dat kun je wel zeggen, ja, ik word misselijk van die posters.’
Ilias kijkt hem verbaasd aan en vraagt geïrriteerd: ‘Wat lul je nu man?’
‘Je denkt toch niet dat ik onder een poster van die losers ga liggen?’
‘Wat nou, man, maak je niet zo druk. Ik haal ze wel een keer van de muur.’
‘Vanavond zul je bedoelen, anders doe ik het zo meteen zelf wel.’
Ilias lacht niet meer, maar schudt overdreven zijn hoofd en loopt naar de deur.
Op de gang roept zijn mocrovriendje nog een keer geïrriteerd: ‘Je blijft er met je poten van af.’
Als hij Ilias de trap hoort af gaan, loopt hij langzaam naar de posters. Wie van jullie, beste vrienden wil er een lekkere dikke fluim?

7

Ilias

Dat nu juist een Ajax-fan hier moet komen. Daar kun je mensen van tevoren toch op selecteren?
Hij zou de posters van de muur kunnen halen, maar dat is wel verraad aan zijn club. Misschien heeft Stephan ze er inmiddels van afgerukt, maar dan adviseert hij hem om morgen met zijn begeleider weer terug te gaan.
Over een halfuur moet hij bij Willem op het matje komen. Hij had de winst die hij de laatste weken had geboekt goed verkloot door vanmiddag weg te lopen. Willem zal hem met zijn neus op zijn belangrijkste persoonlijke leerdoel drukken. Niet weglopen voor commentaar, maar juist de confrontatie aangaan. Juist nu hij zich opgefokt voelt door die nieuwe gast, is het moeilijk tot tien te tellen. Ook het normaal omgaan met zijn voetbalfanatisme krijgt vandaag waarschijnlijk een onvoldoende. Janine had hem horen schelden tegen Stephan.
Hij moet denken aan het gesprek met haar. Vorige week had ze tijdens de binnendienst gevraagd wat hij zoal riep tijdens een wedstrijd. Hij had het een beetje afgehouden, maar na een halfuur kende ze alle spreekkoren waar hij ooit aan had deelgenomen. Ze was vooral onder de indruk geweest van de harde, botte benamingen voor de spelersvrouwen. Toen Janine hem had gevraagd wat hij ervan zou vinden als ze zijn moeder voor alles en nog wat zouden uitschelden, had hij geen antwoord gegeven. Het was ook nooit zo persoonlijk bedoeld. Het ging om de tegenstander te irriteren. Het is echt een rare gewaarwording als je hetzelfde dat je met honderden tegelijk op een voetbalveld schreeuwt, in je eentje vertelt aan één persoon. Dat voelt niet goed.

Maar toch, wat gaan je vrienden zeggen als je plotseling met het voorstel komt: sorry jongens, maar ik roep even niet mee, want dan kwets ik de tegenstander te veel?
Het is allemaal veel ingewikkelder dan de volwassenen soms denken. Zij hebben geen zorgen over het erbij horen, geen vrienden die je laten vallen als je zegt dat je even niet meedoet. Volwassenen krijgen niet constant te horen dat ze hun broertjes en zusjes het goede voorbeeld moeten geven.
Toch denkt hij meer na over zulke dingen, maar of hij echt verandert?
Oké, het is tijd om naar het boetehok te gaan.

Willem zit achter de computer, maar stopt met typen als hij binnenkomt.
'Zo, Ilias, ga zitten en vertel...'
'U wilde met mij praten, hoor.'
'Oh, dat is waar ook, maar ik dacht dat jij misschien wel iets kwijt zou willen.'
Wat een misselijke manier om hem te wijzen op zijn fouten, denkt hij terwijl hij Willem vragend aankijkt.
Het blijft stil.
'Ilias, Janine en ik hadden het idee dat je tot voor een paar weken terug op het goede pad zat, maar vinden beiden dat je de laatste weken weer sneller geïrriteerd bent en de confrontatie uit de weg gaat. Dat van vanmiddag is een bewijs dat je jezelf nog niet voldoende onder controle hebt. Je kunt niet blijven weglopen. Praat als je het niet eens bent met iemand of je je bedreigd voelt.'
Hij zou nu Willem moeten vertellen over de brief, over het pistool, over zijn broertje. Maar zijn eigen bloed in gevaar brengen? Zijn moeder overleeft het niet als ze nog een zoon bij het politiebureau moet ophalen.
'Ilias, heb je er een verklaring voor?'
In gedachten ziet hij zijn broertje. Zijn vrienden hadden zijn kleine broertje Hassan op een vieze manier erin geluisd. Natuurlijk

hadden ze gewacht totdat hun grote vriend Ilias veilig en wel in Frankrijk zat.
'Ilias, als er iets is, kom er dan mee voor de dag jongen,' hoort hij Willem zeggen.
Hij bijt hard op zijn kaken, houdt zijn adem in en probeert zijn tranen weg te slikken.
Willem blijft hem aankijken.
'Niks, er is niks. Ik voel me gewoon opgefokt door die Stephan.'
'Dat geloof ik niet helemaal. Je bent al weken gespannen.'
Hij wil weglopen, met rust gelaten worden.
'Sorry van vanmiddag, het zal niet meer gebeuren,' zegt hij en buigt zijn hoofd. Willem hoeft zijn tranen niet te zien.
'Oké, maar bedenk goed dat je hier zit voor jezelf. Alleen voor jezelf, jongen. Als je nu niet wilt praten, prima, maar knoop in je oren dat je altijd bij mij en Janine terechtkunt.'
Hij knikt naar Willem en loopt de kamer uit. Voordat hij zijn kamer binnen gaat, veegt hij zijn wangen droog met zijn trui.
Gelukkig geen Stephan. Hij laat zich op zijn bed vallen en laat zijn tranen gaan.
Het gaat niet lukken. Hoe hard hij hier ook aan zichzelf werkt, wanneer hij terug in Nederland is, zullen ze hem opwachten. Wat als hij alles opbiecht? Zal de politie hem na de toestand met het joyriden nog geloven?
Het zou allemaal heel anders zijn gelopen als hij, Ilias de grote verrader, na de crash zijn mond had gehouden en alle schuld op zich had genomen. Ze hadden naast de brief met het pistool wraak genomen via zijn broertje Hassan. Tijdens de wedstrijd Feyenoord tegen Fortuna, hadden ze een brandende vuurwerkbom in de handen van zijn kleine broertje geduwd. Hoe kan Hassan bewijzen dat het nooit de bedoeling is geweest hem te gooien? Hoe zal de jongen wiens hand voor altijd verminkt is, reageren als hij te horen krijgt dat zijn broertje, Hassan Odimir, het heeft gedaan? Nu hebben zijn vrienden een troef in handen om hem, zelfs op duizend kilometer afstand, terug te pakken. Hij moet leven

met de angst dat die klootzakken op ieder moment zijn broertje kunnen aangeven. Het is heel duidelijk: als hij ook maar iets zegt over de dreigbrieven of het pistool, zal zijn broertje achter de tralies belanden. Als hij zijn mond houdt, is er een kans dat ze hem alleen maar bedreigen, maar zijn broertje met rust laten.
Het beeld van de crash komt weer in zijn hoofd. Hij ziet de bestelauto op hem afkomen, voelt weer de paniek bij het beeld dat hij niet snel genoeg kan bijsturen en hoort weer het afschuwelijke geluid van de klap.
Zijn vrienden waren gevlucht, maar hij had ze verraden. Als hij ze nu nog een keer verlinkt, is zijn leven en dat van zijn broertje niet veilig meer.
En wie gelooft hem nu nog? De politie ziet hem al aankomen. De vingerafdrukken op het pistool zullen hem nog meer verdacht maken. Hij had het wapen wel honderd keer in zijn handen gehad.
Misschien Kim? Ze is slim en betrouwbaar, maar om haar met zijn problemen lastig te vallen?
Zonder op de deur te kloppen staat Stephan plotseling voor zijn neus en vraagt hem op een irritant toontje: 'Hangen je vrienden nu nog aan de muur?'
Hij staat langzaam op van zijn bed en telt in zichzelf tot tien. Het gevoel zakt niet. Nog maar eens tot tien.
Stephan loopt naar de posters en beweegt zijn hand langzaam over de hoofden van de voetballers. Daarna glijdt hij met de zijkant van zijn hand in één ruk over de nekken van de spelers. 'We gaan jouw jongens dit jaar allemaal een kopje kleiner maken.'
Blijven tellen, Ilias, niet happen, spreekt hij zichzelf toe. Bij iedere tel zet hij een stap in de richting van de deur en smijt hem met een enorme knal achter zich dicht.

8

Kim

Een halfuur geleden had Janine hen allemaal naar boven gestuurd. Niet alleen tussen haar en Suzie lijkt het stroef te verlopen, maar ook Stephan en Ilias lopen met een grote boog om elkaar heen. Morgen zullen ze meer van elkaar te weten komen, want dan moeten ze zich voorstellen en worden de huisregels weer eens doorgenomen. De begeleiders en de moeder van Suzie zijn naar het hotel in het dorp vertrokken en komen morgen nog even op bezoek.
Suzie is druk bezig de inhoud van haar koffer op het bed te gooien. De kleren die ze heeft meegenomen, hebben veel gemeen met de nieuwste collectie van Cool Cat.
'Kim, ik heb een zak drop voor je meegenomen en als je wilt een aantal hippe tijdschriften.'
Het zal best aardig bedoeld zijn, maar wat moet ze hiermee? Denkt Suzie haar op deze manier voor zich te winnen of zo?
'Dank je,' antwoordt ze poeslief, maar ze voelt zich een trut. Waarom zegt ze niet gewoon dat ze het niet wil?
Als ze de zak drop in haar kast wil opbergen, ziet ze dat Suzie iets uit haar sok haalt dat toch wel erg veel op een mobieltje lijkt.
'Vind je het goed als ik een sigaret bij het open raam rook, of ben jij zo'n type die haar vriendinnen meteen verraadt?' vraagt Suzie, terwijl ze nu druk bezig is haar spullen weer in de tas te stoppen.
Vriendinnen? Het is toch niet te geloven!
'Als je problemen met Willem of Janine wilt, moet je het vooral doen,' antwoordt ze.
'Dat merken ze heus niet. Het is voor mij echt belangrijk. Ik voel me zo opgefokt en kan anders de eerste paar uur zeker niet sla-

pen.' Dit keer wacht Suzie niet op haar reactie, maar gooit het raam open en steekt haar sigaret aan.
'Weet je, ik denk dat wij het best met elkaar kunnen vinden. Meiden onder elkaar. Waarom zit je eigenlijk hier?' vraagt ze terwijl ze de rook uit het raam probeert te blazen.
De vraag overvalt haar en ze voelt zich absoluut niet op haar gemak met Suzie in haar buurt. Kon ze nu maar duidelijk maken dat het Suzie geen bal aangaat en dat ze het moeilijk vindt om met vreemden over haar verleden te praten. Ze haalt haar schouders op en pakt een schone pyjama uit de kast.
'Je zit zeker goed in de shit, anders is het toch niet zo moeilijk iets te vertellen over jezelf?'
Ze draait zich half in de richting van Suzie en zegt met een brok in haar keel: 'Ik kan er niet goed over praten.'
Suzie houdt de sigarettenpeuk onder de kraan, en laat hem daarna in een leeg blikje vallen. Ze komt tegenover haar op het bed zitten.
De steeds kleiner wordende afstand tussen haar en Suzie benauwt haar nog meer en ze wil opstaan, maar waar kan ze naartoe?
'Ik zit ook tot mijn nek in de shit, maar ik wil er best over praten. Niet met de leiding, hoor, maar met jou wel. Wij verraden elkaar niet, toch? Volwassenen snappen jongeren niet, ze denken altijd dat zij weten wat goed voor je is. Mijn moeder bijvoorbeeld denkt dat ik hier, duizend kilometer van huis, tot bezinning zal komen. Dat ik me op deze afstand niet meer kan laten beïnvloeden door mijn vrienden. Alsof ik als de ideale dochter over een jaar weer op de stoep sta.'
Als ze geen commentaar op Suzies verhaal geeft en zich bukt om haar veters los te maken, gaat haar zogenaamde nieuwe vriendin weer verder met haar verhaal.
'Weet je, eigenlijk zit ik hier door een stomme fout van een vriend. Als hij wat zorgvuldiger had gehandeld, was er niets aan de hand geweest. Gelukkig is het niet echt verkeerd afgelopen,

maar het was voor mijn moeder wel de reden om mij het huis uit te gooien. Tja, als je moet kiezen tussen een internaat in Nederland, waar je totaal van je vrijheid wordt beroofd, of een lange vakantie in Frankrijk...'
Ze loopt voor Suzie langs en legt haar schoenen in de kast. Nu ze met haar rug naar Suzie toe staat, heeft ze de moed om weer iets te zeggen. 'Ik denk dat het vakantiegevoel hier niet lang duurt.'
'We kunnen toch met zijn vieren lol trappen. Ik heb nog wel een paar ideetjes om te feesten. Ondertussen werken we aan onze leerdoelen, of beter gezegd: we moeten de leiding doen geloven dat we eraan werken. Ik vind het niet erg, hoor, om de dieren te verzorgen of zo.'
Hoe hebben de begeleiders van Suzie ooit kunnen geloven dat zij gemotiveerd is? Of ze hebben een enorme plank voor hun kop, of Suzie is een topactrice.
Als ze haar pyjama aanheeft en in haar bed wil stappen, begint Suzie weer.
'Die Ilias is volgens mij een toffe gozer. Hij maakt wel een gespannen indruk. Het wordt tijd dat hij een beetje kan relaxen. Wel een lekker ding, trouwens. Stephan lijkt me nogal een loser, maar misschien valt het wel mee.'
Alle hoop op een kamergenoot die haar zou kunnen begrijpen, is verdwenen. De eenzaamheid met de aanwezigheid van Suzie is groter dan toen ze alleen was. Waarom moet zij altijd de verkeerde mensen ontmoeten? Ze draait zich met haar rug naar Suzie en probeert haar zo neutraal mogelijk welterusten te wensen.
Suzie zucht een keer en loopt naar de deur. 'Ik ga plassen, welterusten.'
Ze voelt zich ellendig. Suzie zal ook Ilias inpalmen. Juist nu zij en Ilias het steeds beter met elkaar kunnen vinden.

9

Suzie

Over een paar minuten wordt ze in het jongerenhuis verwacht. Voor de eerste nacht in een vreemd huis had ze redelijk goed geslapen. Ook het ontbijt was niet echt verkeerd geweest.
Het jongerenhuis is een gedeelte van de boerderij dat omgetoverd is tot een gezellige grote ruimte. Een paar relaxfauteuils, een voetbaltafel, een cd-speler en gelukkig: een tv. Aan de muren hangen allerlei posters.
Kim en Ilias zitten bij Janine aan een grote houten tafel.
Janine maakt een uitnodigend gebaar naar haar en zegt: 'Willem praat nog even met Stephan. Ze komen over vijf minuten.'
Ze gaat naast Janine zitten. Er ligt een aantal gele mappen op de tafel. De tekst *Ilias, vertrouwelijke informatie*, wekt haar nieuwsgierigheid, maar met de bazin in de buurt is het oppassen.
Kim en Ilias hebben zo te zien een gezellig onderonsje.
Als het haar na twee minuten nog niet lukt oogcontact met Ilias te krijgen, staat ze op en loopt ze naar de voetbaltafel. 'Ilias, zullen wij samen een potje?' vraagt ze hem zo verleidelijk mogelijk.
'Dat heeft weinig zin, je hebt nog maar een paar minuten,' is het bemoeizuchtige antwoord van Janine.
'Maakt niet uit. Kom op, Ilias. Je kunt een meisje toch niet weigeren?'
Ilias kijkt wazig om zich heen en heeft zo te zien niet veel zin om op te staan.
Ze draait een paar keer aan de stangen en loopt terug naar de anderen. 'Tjonge, jonge, wat een enthousiasme.'
Stephan komt binnen. Hij valt op een stoel en kijkt behoorlijk chagrijnig. Het lijkt erop alsof hij nu al op zijn kop heeft gehad.

Willem kijkt iets vrolijker en gaat naast hem zitten en neemt gelijk het initiatief. 'Oké, het is de bedoeling dat iedereen in het kort iets over zichzelf vertelt. Niet dat je verplicht bent uitgebreid over de reden waarom je hier bent te praten, maar misschien wel iets over je familie, je school, werk, hobby's, enzovoort. Ilias, jij bent hier het langst. Zou jij willen beginnen?'
Ilias zucht een keer en legt beide handen in zijn nek. 'Oké, ik ben hier nu vier maanden. Ik ben zestien en woon in Rotterdam. Tja, ik heb drie broertjes, twee jongere zusjes en één oudere zus. Ik zat op vmbo-T vierde jaar en ga zeker terug om mijn diploma te halen. Wat moet ik nog meer zeggen?'
'Misschien iets over je hobby's?' stelt Willem voor.
'Hobby's... Ik ben een rapper en probeer zo af en toe een battle aan te gaan met andere rappers. Verder voetbal, Feyenoord, natuurlijk.'
'Goed, dank je, Ilias. Kim, zou jij ook iets over jezelf willen vertellen?' vraagt Janine.
Kim kijkt verlegen om zich heen. Het duurt even voordat er wat uit haar mond komt. 'Ik ben zeventien en heb vorig jaar mijn havo-diploma gehaald. Daarna ben ik begonnen met fysiotherapie, maar dat heb ik vanwege privé-omstandigheden niet afgemaakt.'
Het is stil en iedereen kijkt naar Kim, die haar hoofd naar beneden laat hangen.
'Ja, daar heb ik ook last van, privé-omstandigheden.'
'Suzie, als je niet normaal kunt luisteren en die stomme opmerkingen niet voor je kunt houden, raad ik je aan nu te vertrekken.' Janine kijkt haar zo nijdig aan dat ze ervan schrikt.
Alleen Stephan kijkt haar met een glimlach aan, maar durft waarschijnlijk ook niets te zeggen.
'Kim, ga verder,' zegt Janine.
'Ik heb een broer van twintig, en ik vind het leuk om te sporten.'
'Prima, Kim, je bent hier nu ongeveer drie maanden toch?' vraagt Janine.

'Ja, gisteren elf weken,' antwoordt Kim braaf. Tjonge jonge, wat is dat toch een teer zieltje.
'Stephan, jouw beurt, jongen,' zegt Willem en geeft Stephan een bemoedigend duwtje in zijn rug.
'Ik ben zeventien en zit niet meer op school. Ik heb één broertje, die verstandelijk gehandicapt is en we wonen in Amsterdam. En natuurlijk supporter van de beste club van ons land.'
Het blijft even opvallend stil.
'Stephan, jij bent toch Nederlands kampioen kickboksen?' vraagt Janine.
'Ja, maar dat is al een jaar geleden, nu ben ik bij de zware jongens ingedeeld en is het een stuk moeilijker geworden.'
Die moet ik te vriend houden, stalen vuisten, dat kan van pas komen, denkt ze en knipoogt een keer naar Stephan.
'Suzie, jouw beurt,' zegt Willem.
Hè, hè, eindelijk, denkt ze en ze laat zich op haar stoel onderuitzakken. 'Ik ben dus Suzie en heb als hobby lekker chillen, met mijn vrienden uitgaan en shoppen.'
Als niemand reageert gaat ze door. 'Ik ben vijftien jaar, zit op de havo, ik bedoel: zat op de havo, want ik mag waarschijnlijk niet meer terugkomen. Ik heb een oudere zus, maar we zijn niet bepaald vriendinnen van elkaar. Ik woon bij mijn moeder, omdat mijn vader hem gesmeerd is met een andere vrouw. Mijn moeder heeft toen ook maar een nieuwe lover genomen. Niet bepaald een geschikte stiefvader. Verder hou ik van dieren, dus ben ik hier wel op mijn plek, denk ik.'
'Dat moeten we nog maar eens zien,' zegt Janine serieus.
'Oké, ik denk dat het goed is als Janine de regels doorneemt met Suzie en Stephan, dan kunnen Kim en Ilias met mij mee. Zij kunnen de regels inmiddels dromen, of niet Ilias?' vraagt Willem.
Ilias doet alsof hij het niet gehoord heeft en sjouwt naar de deur. Kim en Willem volgen.
'Zo, ik denk dat jullie wel benieuwd zijn waaraan jullie je moeten houden tijdens jullie verblijf, niet Suzie?'

‘Als het niet te heavy is, wil ik het best horen,’ zegt ze met een vals lachje.
De telefoon van Janine verspreidt een vrolijk deuntje door de gehorige ruimte.
‘Sorry, de directeur van de Stichting. Ik moet hem even te woord staan,’ zegt Janine en loopt naar de gang.
Dit is haar kans. ‘Stephan, ga bij de deur staan en waarschuw me als ze klaar is met het telefoongesprek.’ Hij kijkt haar verbaasd aan. ‘Schiet op man.’
Als hij bij de deur staat, opent ze de eerste bladzijde en ze leest gauw de eerste zinnen:
Ilias is opgepakt vanwege joyriding. Het afgelopen jaar heeft hij meerdere keren zonder rijbewijs in een gestolen auto gereden. De diefstallen werden door zijn vrienden gepleegd. Zijn vrienden zijn na het laatste...
‘Ja,’ fluistert Stephan nerveus.
Ze slaat de map dicht. De adrenaline giert door haar lijf. Stephan loopt gehaast naar de voetbaltafel. Janine komt binnen, gaat weer aan de tafel zitten en wenkt Stephan met haar hoofd. Hij gehoorzaamt als een afgericht hondje.
‘We hebben geprobeerd zo weinig mogelijk regels op te stellen, maar dat neemt niet weg dat het belangrijk is goed in je oren te knopen waar je aan toe bent.’
‘Aan een sigaretje, bijvoorbeeld,’ probeert ze vrolijk en kijkt Janine lachend aan.
‘Suzie, ik waarschuw je nog één keer. Nog meer van die onzinnige opmerkingen en je kunt de rest van de dag op je kamer doorbrengen.’
Godsamme, wat zit dat mens snel op de kast, zeg. Nog erger dan mijn moeder, denkt ze, maar ze houdt toch voorlopig maar even haar mond.
‘Ten eerste: je verlaat het terrein nooit zonder toestemming. We maken met zijn allen wandelingen in de omgeving en gaan één keer in de week naar het dorp.
We werken hier in ploegen. Dat wil zeggen: de ene week heeft een

van jullie binnendienst. Je helpt in dat geval met de maaltijden en huishoudelijke klussen. De anderen hebben die week buitendienst. Zij verzorgen de dieren, hetgeen nu wel heel erg leuk is met onze jonge poesjes, werken in de moestuin of op het land en helpen met de klussen in en om de boerderij. Na een week wisselen twee mensen van dienst.'
'En in het weekend?' wil Stephan weten.
'Dan gelden er andere regels. Ten eerste mag je dan uitslapen en heeft alleen de binnendienst taken. Ik wil even verder met de dagindeling. Om halfacht ontbijten. Als je wilt douchen moet je dus op tijd opstaan. We beginnen om halfnegen met het werk, tot twaalf uur, dan is er lunchpauze van een uur en daarna werk je tot vijf uur.'
Zo weinig mogelijk regels? Ik ben hier in een werkkamp terechtgekomen waar je als slaven afgebeuld wordt, denkt ze en zoekt contact met Stephan die steeds chagrijniger kijkt.
'Na de avondmaaltijd is iedereen in principe vrij om te doen wat hij of zij wil doen.'
'Wat kunnen we hier doen dan?' vraagt ze serieus.
'Daar kom je vanzelf achter. Verder is het overbodig om te vertellen dat er geen mobiele telefoons zijn toegestaan. Je kunt met toestemming van ons af en toe bellen of mailen, maar wij zullen dan altijd in de buurt zijn. Zo, dat waren voor nu de belangrijkste dingen.'
Dit kan niet waar zijn. Dit is schending van de mensenrechten. Ze had hier nooit naartoe moeten komen.
'Mogen we tv-kijken?' vraagt Stephan.
'Alleen af en toe een video die wij hebben opgenomen,' is het antwoord van mevrouw de beul.
'Oh, fijn. Zeker *Sesamstraat* of het *Jeugdjournaal*?' probeert Stephan nog, maar Janine staat op en kijkt in hun richting. 'Jullie hebben een paar uur de tijd om je kamer op te ruimen, daarna komen de begeleiders nog even op bezoek. Daar moeten jullie bij zijn. Tot straks.' En weg is ze.
Daar zitten ze dan, beroofd van al hun vrijheden.

Ze staat op en kijkt Stephan aan. 'Ga je mee naar boven?' vraagt ze hem.
Hij knikt en loopt achter haar aan de trap op.
Op de gang van de zolderverdieping blijft ze staan. 'Wil je even een kijkje nemen in onze steriele kamer?'
Hij loopt als een schoothondje achter haar aan. Ze gaat op haar bed zitten en tikt een paar keer met haar hand op het bed. 'Kom even zitten,' probeert ze zo uitdagend mogelijk uit haar mond te laten komen.
'Heb je ook zo'n zin in het verblijf in dit heerlijke relaxte oord?' vraagt ze hem.
Hij kijkt haar onzeker lachend aan. 'Ja zeker, ik kijk er al maanden naar uit.'
Ze valt achterover op haar bed. 'Ja, ik heb ook alles opgegeven om hier te komen, zelfs mijn studie.'
'Ik overleef dit niet, hoor. Mijn eerste preek heb ik al van Willem gekregen,' zegt Stephan nu serieuzer en gaat op het puntje van haar bed zitten.
'Echt? Waarom?'
'Ach iets over geld. Vertel ik nog wel, maar als ze zo doorgaan, ben ik hier niet lang.'
'Kom op, niet zo depri. Als je je kop kunt houden, kan ik je helpen. Ik heb natuurlijk mijn voorzorgsmaatregelen genomen. Als je wilt, mag je mijn mobieltje lenen, maar interessanter nog: ik heb iets achter de hand om ook in deze rimboe lekker te flippen. Weet je, ik heb...'
Dan hoort ze iemand de trap op komen. Janine verschijnt in de deuropening. 'Ik geloof dat ik nog niet alle regels heb genoemd. Het is voor jongens absoluut niet toegestaan op de meisjeskamers te komen en meisjes wil ik niet op de jongenskamer zien, dus Stephan, wegwezen hier.'
Hij staat op, knipoogt een keer en loopt naar de gang.
'Suzie, misschien hebben ze je in Nederland niet duidelijk genoeg gemaakt dat, als je hier de regels overschrijdt, je zo weer

terug bent in Nederland en ik heb van Christine begrepen dat je daar niet met open armen ontvangen gaat worden, integendeel: dan sta je er pas echt alleen voor en ziet het er beroerd voor je uit.'

10

Stephan

Als hij niet binnen een paar uur kan verzinnen waarom er nog vijftig euro te veel in zijn zak zat, is de kans groot dat Paul hem helemaal niet meer vertrouwt.
Sorry Paul, een briefje gewoon over het hoofd gezien? Shit, hij had beter gisteren meteen alles kunnen inleveren. *Hij had beter*, een zin die de laatste tijd te vaak door zijn hoofd is geschoten. En wat als Paul morgen het geld bij zijn ouders aflevert?
Zijn moeder, zij is de enige in deze klotewereld die hem kan en wil helpen. Zij heeft hem altijd geholpen, zelfs toen ze wist dat hij echt verkeerd zat. Maar shit, zijn moeder is thuis en hij hier.
Het mobieltje van Suzie. Hij moet zijn moeder nu bellen en haar nog één keer zover zien te krijgen dat ze hem helpt.
Voorzichtig opent hij de deur van zijn kamer en werpt een snelle blik naar rechts en links. Niemand. Hij loopt naar de kamer van Suzie en klopt op de deur.
'Ja,' hoort hij Suzie roepen.
Hij voelt zich nerveus als hij de kamer binnen schiet. 'Suzie, zou ik misschien even je mobieltje mogen lenen? Ik kan je ervoor betalen als je wilt.'
Ze loopt meteen naar haar kast en haalt het apparaat uit een paar sokken. 'Mij best, maar als je gesnapt wordt, is het niet van mij, begrijp je dat goed?'
Hij pakt het mobieltje aan en loopt naar de deur. 'Natuurlijk, dank je, ik geef het je over twee minuten terug.'
Op zijn kamer toetst hij het nummer van thuis in.
'Met mevrouw De Ruig.'

'Dag mam, met Stephan.'
'Jongen, hoe is het met je?'
'Het gaat goed, echt, ik ga mijn best doen, maar mama, je moet me nog één keer helpen. Ik beloof je dat ik het vanaf nu alleen red, maar er is iets waar je me bij moet helpen, anders sturen ze me misschien naar huis.'
'Hoezo, waar heb je het over, Stephan?'
'Mam, het spijt me, maar ik had het geld van die jongens, je weet wel, die paar honderd euro die ik nog terug moet betalen, toch meegenomen naar hier en nu hebben ze dat gevonden en moet ik uitleggen waar ik het vandaan heb. Als ik dat zeg, ben ik nat, dus mama, alsjeblieft, zou je willen zeggen dat ik het van jou heb gekregen? Dat we niet wisten hoeveel geld ik mee mocht nemen. Het is zo belangrijk voor me, omdat ik hier echt opnieuw wil beginnen.'
Het blijft stil.
'Mama, ben je er nog?'
'Ja, jongen, ik zal het zeggen, maar beloof me dat je je best gaat doen. Ik vetrouw je, Stephan.'
'Oké, mama, echt, ik beloof het. Dit is de laatste keer dat ik om hulp vraag. En het geld neemt Paul mee terug.'
'Goed. Is het daar fijn, jongen?'
'Ja, prima. Ik ga hier veel leren. Je zult trots op me zijn. Dank je wel, mama, ik hou van je. Tot ziens.'
'Ik hou ook van jou, jongen. Dag.'
Hij voelt zich afschuwelijk. Ze is altijd zo goed voor hem geweest en wat heeft hij gedaan? Haar bedonderd en misbruik van haar gemaakt. Dit is echt de laatste keer.
Wanneer hij weer op Suzies deur klopt, hoort hij haar iets onverstaanbaars zeggen en schiet hij snel naar binnen.
Hij kijkt tegen haar blote rug aan en wil omkeren, maar ze draait zich om en lacht.
Hij voelt zich erg ongemakkelijk en stottert: 'Sorry, ik wist niet dat je... dank je wel voor het lenen... ik...'

'Doe niet zo preuts. Je doet alsof het de eerste keer is dat je blote borsten ziet.'
Hij weet niet waar hij moet kijken en wrijft zenuwachtig over zijn gezicht. Als hij zich omdraait, voelt hij een arm op zijn schouder.
'Hé, en mijn mobieltje?'
Er zit niets anders op dan weer om te keren.
Ze staat nu niet meer dan een halve meter van hem vandaan.
'Heb je al een vriendinnetje?' vraagt ze uitdagend.
Hij lacht en kijkt heel even naar haar borsten. 'Nee, ik heb het uitgemaakt voordat ik hiernaartoe kwam.'
'Heel verstandig, dan heb je vrij spel, man.'
Hij weet het niet zeker, maar allerlei geluiden mengen zich in zijn hoofd. Stemmen die van buiten komen, een tractor, de hond, iemand die de trap op loopt.
'Ik ga naar mijn kamer, dank je wel.' Hij gooit het mobieltje op een van de bedden en schiet de gang op.
Jezus, man, wat is zij van plan?
In zijn kamer kan hij weer normaal ademen. Hij laat zich op zijn bed vallen.
Waarom doet Suzie dit? Wil ze iets van hem? Die borsten, wel heel mooi.
Hij trekt het dekbed over zijn hoofd. In gedachten verschijnt het beeld van zijn slaapkamer thuis. Ook het gezicht van zijn moeder komt in beeld. Een bezorgd gezicht. Allemaal zijn schuld. En toch had ze hem telkens weer tegenover zijn vader in bescherming genomen. Zelfs toen hij geld uit haar portemonnee had gestolen, had ze gezwegen. Als het aan haar had gelegen, lag hij nu nog thuis in zijn bed te ronken. Nee, dan zijn vader!
Nadat de politie zijn ouders had ingelicht over de inbraak bij de bejaarde vrouw, waren de stoppen bij zijn vader doorgeslagen. Praten was niet meer mogelijk geweest. Hij had zijn zoon nog wel de keuze gegeven: of naar het project in Zuid-Frankrijk, of de straat op.
De straat op betekende een keiharde afrekening van zijn vrien-

den. Ten eerste omdat hij zo stom was geweest zich op te laten pakken en ten tweede omdat hij het gestolen geld niet met ze had gedeeld. Dan toch maar Zuid-Frankrijk.
Hij staat op en pakt de kleren uit zijn koffer. Als hij de nieuwe werkkleren in zijn handen heeft, twijfelt hij. Toch maar niet aandoen, anders denken ze nog dat hij echt zin heeft om de handen uit de mouwen te steken.
Als de posters er vanavond nog hangen, is Ilias echt goed nat. Plotseling komt er een mooi beeld in zijn gedachten. Hij pakt de Ajax-pet van zijn bed en hangt hem aan het haakje boven de poster. Gaaf gezicht: een Feyenoorder met de verkeerde pet, nou ja... verkeerd.

11

Ilias

'Oké, jongens, we gaan lunchen,' roept Willem.
Kim staat hijgend naast hem. Ze doet haar handschoenen uit en veegt een paar plakkerige haren van haar bezwete voorhoofd. Ze weet wel van aanpakken zeg.
'Kim, wedstrijdje doen wie het eerst bij het huis is?' vraagt hij haar uitdagend.
Ze kijkt hem verbaasd aan. 'Ja hallo, ik heb net tweehonderdachtentachtig boomstammen opgestapeld.'
'Als je wint, krijg je een cadeautje van me,' probeert hij.
'Oké, laat maar eens zien wat je kunt,' zegt ze plagend.
Ze komt naast hem staan en haalt een keer diep adem. Ze heeft lange benen, maar of ze echt sneller is, betwijfelt hij.
'Ik tel tot drie,' zegt hij serieus.
Bij twee is ze al vertrokken. Hij ziet haar benen soepel over de hobbels in het veld springen. Het kost hem moeite haar bij te houden, maar hij weet dat hij haar in kan halen.
Als ze de geitenstal naderen, loopt hij nog ongeveer tien meter achter haar. Nu moet hij alles geven. Verliezen zit niet in zijn aard. Verliezen van een meisje al helemaal niet.
In de laatste bocht naar het woonhuis kan hij haar bijna aanraken. Als hij zijn tempo iets opschroeft, voelt hij zijn rechtervoet wegglijden in de modder en voordat hij het beseft, ligt hij er languit met zijn snufferd in. Zijn linkerhand is over iets hards gegleden. Hij hoort dat Kim stopt en in zijn richting loopt.
'Ilias, heb je pijn?' vraagt ze hijgend.
Hij richt zijn gezicht op en probeert zo zielig mogelijk te kijken.
'Ja, mijn hand,' kreunt hij duidelijk overdreven.

Ze knielt naast hem en pakt heel voorzichtig zijn hand beet.
'Aah,' roept hij, maar knijpt haar op hetzelfde moment hard in haar hand.
'Aansteller, je hebt helemaal niets. Je kunt gewoon niet tegen je verlies, man. Kom, sta op.'
Ze trekt hem met twee handen snel overeind. Hij valt tegen haar aan en voelt haar warme, snel ademende lijf. Ze houden elkaar nog steeds vast en hij ziet in de ogen van Kim dat ze niet bang is. Voor de eerste keer sinds maanden ziet hij echt vrolijke ogen.
'Kost je wel een cadeautje,' zegt ze.
'Ja, hoor, maak maar misbruik van de situatie, maar je hebt gelijk. Je kunt je cadeautje vanavond om zeven uur ophalen in de geitenstal,' zegt hij en hij probeert zo geheimzinnig mogelijk te kijken.
'In de geitenstal? Kun je niets leukers verzinnen?'
'Doe het nu maar, je zult er geen spijt van krijgen.'
Ze haalt verlegen haar schouders op en loopt richting boerderij. Hij veegt de modder uit zijn gezicht en weet ook even niets meer te zeggen.
In de geitenstal? Een cadeautje? Wat heeft hij nu weer allemaal beloofd? Hij had verwacht dat Kim zijn voorstel zou afwijzen. Misschien komt het door de komst van Suzie en Stephan dat ze meer en meer naar elkaar toe trekken. Als hij terugdenkt aan de kennismaking met haar, herinnert hij zich heel goed dat ze vertelde bang te zijn voor intiem contact. Het was hem niet duidelijk geworden wat er in haar leven gebeurd was, maar Janine had hem later verteld dat het te maken had met haar vader.
Haar mooie gespierde lijf was hem wel eerder opgevallen, maar een paar minuten geleden had hij het ook gevoeld.
Stephan en Suzie zitten op het bankje te roken. Dat een kampioen kickboksen rookt!
Zo te zien hebben die twee elkaar wel gevonden.
'Hé, Ilias, lekker gewerkt?' roept Stephan.
Hij reageert niet, maar hoe lang houdt hij dit vol?
Binnen is het lekker warm. Kim helpt Janine met het dekken van

de tafel. Ze lacht naar hem als hij naast haar komt staan om zijn handen onder de kraan te houden.
'Hoe is het nu met je hand?' vraagt ze spottend.
'Heel slecht, ik denk niet dat ik vanmiddag kan werken,' antwoordt hij serieus.
Janine kijkt hem bezorgd aan en vraagt wat er gebeurd is.
'Ilias gedraagt zich als een watje. Hij heeft alleen maar aandacht nodig, hoor,' is Kim hem voor.
Hij draait zich om en kijkt in haar blauwe ogen. 'Ik zal je bewijzen dat ik echt geen watje ben.'
'En die aandacht die je tekortkomt, heeft Kim daar wel gelijk in?' vraagt Janine.
Op deze vraag heeft hij geen antwoord.
'Ik ga even een cadeautje voor iemand inpakken. Janine, heb jij ongeveer tien meter inpakpapier?'
Nu is het Janines beurt om verbaasd te kijken.
'Laat maar, ik verzin wel wat,' zegt hij en hij is blij dat hij de keuken kan verlaten.
Terwijl hij de trap op rent bedenkt hij dat het misschien niet zo'n goed idee is om zichzelf in te pakken. Maar wat dan wel?
Op zijn kamer is het na één dag Stephan een rotzooi. Dan ziet hij de Ajax-pet. Ontzettend leuk, wat een creativiteit heeft die jongen. Maar wel kickbokskampioen. Zonder aarzelen loopt hij naar de muur, trekt de pet van de haak en haalt daarna de posters voorzichtig van de muur. Mij krijg je niet gek, man.
Hij trekt zijn kast open en legt de opgerolde posters erin. Kleren, toiletspullen, twee boeken, cd's. Niet echt leuk genoeg om iemand mee te verrassen. De fossielen!
Op het kastje naast zijn bed ligt een aantal fossielen die hij de afgelopen maanden heeft gevonden. Kim had hem bewonderd om zijn speurdersneus. Eén fossiel is zeer speciaal. Een prachtige gave afdruk van een schelp. Voorzichtig pakt hij de grijze steen op en bestudeert hem nauwkeurig. Die is voor Kim. Omdat zij ook gaaf is.

12

Kim

De twee gesmeerde boterhammen liggen al zeker vijf minuten onaangeroerd op haar bord. Wat gebeurt er allemaal met haar? Ilias is bezig met het smeren van zijn derde boterham. Hij heeft zo te zien nergens last van.
Waarom in de geitenstal? Het valt toch op als ze na het avondeten tegelijkertijd naar buiten gaan?
'Kim, voel je je wel lekker? Je thee wordt koud,' zegt Janine.
Ze knikt richting Janine en tilt voorzichtig haar kopje op. Het is voor iedereen duidelijk te zien dat haar hand trilt.
Stephan en Suzie hebben weer eens een onderonsje. Het gesprek is voor de anderen totaal niet te volgen. Ze kan op dit moment überhaupt niets meer volgen.
'Ilias en Kim, jullie gaan vanmiddag verder met het hout. Suzie en Stephan gaan met mij de geitenstal verschonen,' zijn de verlossende woorden van Willem.
Ilias knipoogt naar haar. Ze neemt een hap, maar het doorslikken blijft moeilijk.
Dit gevoel kent ze niet. Soms lijkt het op een zweefgevoel, dan weer op een achtbaangevoel, nee nog beter: een op-het-water-golvend-luchtbed-gevoel.
Als de anderen klaar zijn met eten, neemt ze het laatste stuk boterham van haar bord en stopt het met tegenzin in haar mond. Naar buiten, weg van de starende gezichten.

De middag is gelukkig gevuld met keihard werken. Stukken hout op de aanhanger gooien, wachten totdat Willem ze heeft gelost en weer van voor af aan beginnen. Het kost haar moeite Ilias bij te houden, maar ze wil zich niet laten kennen. Als ze zo doorgaat, is ze over een tijd één en al spierbundel. Zelfs Willem is onder de indruk. Het voelt goed controle over je lijf te hebben, je flink in het zweet te werken.

Na de warme maaltijd en uitvoerig douchen, loopt ze zenuwachtig heen en weer in de keuken. Ilias is tien minuten geleden zonder één woord te zeggen naar boven gegaan. Het was dus toch een grap.
Veel tijd om te balen heeft ze niet, want Ilias duikt plotseling op en roept: 'Mijn zaag ligt nog ergens op het veld. Lieve Kim, zou jij mij please willen helpen met zoeken? Jij weet waar we overal geweest zijn.'
Zonder een moment te twijfelen loopt ze naar de kapstok, pakt haar jas en loopt naar buiten.
Het is steenkoud. Ilias komt naast haar lopen en slaat een arm om haar schouders.
'Kom maar, dan zal ik je even opwarmen,' zegt hij vriendelijk.
Even gaat er een rilling door haar lijf, maar de warmte van zijn lijf maakt haar rustiger.
'Je bent zeker heel erg benieuwd naar je cadeautje?'
Ze kijkt hem aan en voelt zich vrolijk worden door zijn stralende gezicht.
Bij de geitenstal blijft hij staan en maakt een uitnodigend gebaar. 'Dames gaan voor.'
Ze wil niet meer nadenken en loopt voor hem uit naar binnen.
Het is er warm en er brandt gelukkig een lamp. De geiten kijken haar aan alsof ze een verklaring van haar eisen.
Ilias pakt een baal droog stro en spreidt het zorgvuldig uit. 'Ga maar zitten, madame. Kan ik u blij maken met een lekker drankje?'
Uit zijn binnenzak haalt hij een flesje gevuld met donkerbruin spul. 'Jägermeister, heb ik maanden op een geheime plaats bewaard voor een speciale gelegenheid. Nu dus.' Hij schroeft de dop los, neemt een slokje en geeft de fles aan haar.

Voorzichtig gaat ze met de fles in haar hand op het stro zitten en neemt ook een slokje.
'Aah, wat een sterk spul.'
Ilias gaat naast haar zitten en kijkt haar vragend aan.
'Wat?' zegt ze. 'Ik ben niet gewend aan sterke drank hoor.'
Dan haalt hij weer iets uit zijn zak. Het is een doosje, ingepakt in de kaft van een tijdschrift.
'Voor jou,' zegt hij verlegen en hij geeft haar het doosje.
Als ze het papier voorzichtig verwijdert en het doosje opent, ziet ze het fossiel.
'Wat mooi, dat is die mooie die je aan een speciaal iemand wilde geven, toch?'
'Klopt.'
Ze zou hem wel een kus willen geven, maar in plaats daarvan bergt ze het fossiel weer op en legt het doosje voorzichtig naast zich neer. Ze neemt nog een slokje als Ilias haar de fles aanbiedt. Ilias laat zich achterovervallen en maakt ter hoogte van zijn hoofd een soort kussen.
'Kom, relax nu maar even. Ik doe echt niets, hoor.'
Ze gaat voorzichtig liggen en sluit haar ogen. Ze voelt het lichaam van Ilias. Het is vreemd, maar absoluut niet vervelend.
'Goh, dat ik het zomaar aandurf met jou hier tussen de geiten te liggen. Dat had ik een paar weken geleden niet gedaan.'
'En waarom durf je het nu wel?' vraagt hij.
'Ik weet het niet, misschien dat ik je nu meer vertrouw of zo.'
Ze voelt even zijn hand op haar voorhoofd. 'Je bent echt erg mooi,' fluistert hij.
Ze lacht naar hem. Het is een goed gevoel dat er iemand is die haar mooi vindt. En dat die iemand dan ook nog naast je ligt.
Ze haalt een paar stukjes stro uit zijn zwarte krulletjes. 'Weet je, ik dacht dat ik nooit meer naast een jongen durfde te liggen.'
Hij gaat op zijn zij liggen en kijkt haar bezorgd aan. 'Wat is er toch allemaal gebeurd met je? Wil je het me vertellen, of is dat te moeilijk?'

Ze sluit haar ogen weer en ziet Ronnie, haar broer, voor zich. 'Het was niet alleen mijn vader, Ronnie...'
'Wat bedoel je? Je wilt toch niet zeggen dat je broer...?'
Ze voelt dat ze verstijft. 'Mag ik nog een slokje van dat warme spul?'
'Ja, natuurlijk. Kim, ik zou je zo graag willen helpen. Weet je, ik voel de laatste tijd dat er iets tussen ons...'
Ze pakt de fles aan en neemt een iets te grote slok. Als er een straaltje over haar kin loopt, veegt hij het met zijn mouw weg. Haar lijf gloeit en ze zou het niet erg vinden als Ilias haar nu zou kussen. Hij kijkt haar nog steeds bezorgd aan.
'Hé, ik had me juist voorgenomen dat ik me niet meer laat beïnvloeden door mijn familie, dus ander onderwerp.'
'Oké, dan wil ik wel weten of jij mij ook leuk vindt.'
'Nou... Tja wat zal ik zeggen...' Tot haar eigen verbazing slaat ze haar armen om zijn nek. Ze liggen tegenover elkaar en ze voelt de handen van Ilias op haar rug.
Plotseling lopen de geiten massaal naar de achterkant van de schuur en wordt de deur met een ruk opengegooid.
Als ze zich omdraait, kijkt ze in Suzies verbaasde gezicht.

13

Suzie

De geschrokken gezichten van Ilias en Kim geven haar een machtig gevoel. Wat een grap. Liggen ze daar gewoon te... Dit moet Stephan weten. Zijn we toch naar het verkeerde adres gestuurd. Naar een seksboerderij. Seks tussen de geiten, toe maar.
Stephan ligt op de bank te chillen.
Ze loopt naar hem toe en fluistert lachend: 'Je wilt niet weten wat ik zojuist gezien heb.' Ze kan het lachen niet onderdrukken.
Stephan probeert intelligent te kijken, maar er komt niets zinnigs uit zijn mond.
'Weet je wie er in de geitenstal lagen te vrijen en te zuipen?'
'Waar heb je het over? Geiten zuipen volgens mij niet, maar ik weet niet hoe het is gesteld met hun seksleven,' antwoordt hij.
'Nee, man, Ilias en Kim, je had ze moeten zien.'
'Heb je soms gedronken of wat geslikt?'
'Echt niet, die twee hebben gewoon vette verkering en wat ik niet begrijp, is dat Kim tegenover mij zo spastisch doet als het over seks gaat. Wat een schijnheilige trut.'
'Wat moet jij op dit tijdstip in de geitenstal? Ik dacht dat je na een middagje stront ruimen genoeg van die beesten had?'
'Dat gaat jou helemaal niets aan.'
'Ook goed, maar ga je het nu aan Janine en Willem vertellen?'
'Natuurlijk niet, man, ik heb geleerd dat het slim is informatie voor je te houden tot op het moment dat je het tegen iemand kunt gebruiken.'
'Je hebt er wel verstand van, zo te horen.'
'Ik lach me dood, geloof maar dat die twee zich op dit moment niet happy voelen. Je moet wel je kop houden. Geloof me, het is

één-nul voor ons. We moeten het slim aanpakken en samenwerken, anders zitten we hier over een jaar nog.'
Hij kijkt haar vragend aan. 'Wat bedoel je? Heb je soms plannen?'
'Wat denk je? Dat ik in deze rimboe serieus ga werken aan mijn leerdoelen? Ik wil wel een beetje lol hebben in mijn leven. We moeten genieten, man.'
Zo te zien overvalt ze hem. Hij zit erbij alsof hij zojuist te horen heeft gekregen dat hij een miljoen in de Postcodeloterij heeft gewonnen. Blij, maar totaal overdonderd.
'Eh, ja, natuurlijk wil ik ook lol hebben in mijn leven, maar misschien kan ik hier, ondanks alle negatieve kanten, meer plezier hebben dan in Nederland. Je wilt niet weten wat me daar te wachten staat.'
'Nou? Wat dan?'
'Een heleboel shit.'
'Kom op, man, we moeten samen een goed plan maken en wachten op het juiste moment. Je houdt toch wel van een beetje spanning?'
Stephan is ondertussen rechtop gaan zitten en krijgt iets van zijn stoere houding terug. 'Natuurlijk hou ik van een beetje spanning, maar ze zien me thuis al aankomen.'
'Wie zegt dat we naar huis gaan? Ik heb een goed adresje en de middelen om dit gat te verlaten.'
'Waarom ben je eigenlijk helemaal hiernaartoe gekomen als je nu al weet dat je hier niet wilt blijven?' vraagt hij haar.
'Anders was ik dik in de shit gekomen. Ik moet me nu even niet laten zien in de buurt waar ik woon.'
'Hoezo, heb je je zo misdragen dan?'
'Valt wel mee, maar als ik me daar nu laat zien, zullen er een paar mensen zijn die me niet met rust zullen laten. Hier zit ik even veiliger. Volgens mij hebben ze hier niet eens van politie gehoord.'
'Maar het zal ook niet meevallen te ontsnappen uit dit afgelegen gebied,' zegt Stephan.
Poeh. Wat een held.

'We moeten wachten op het juiste moment en niet te hard van stapel lopen,' zegt ze overtuigd en loopt naar de deur. 'Ga je mee, we mogen weer werken aan onze nicotinebehoefte en ik wil de gezichten van onze lovers niet missen als ze binnenkomen. En we hebben een deal, toch?'
Stephan lacht, maar zo te zien zijn er andere verleidingen nodig om hem mee te laten werken.

In de keuken staat Janine aan het aanrecht. Ze is bezig met het bakken van een brood.
Stephan komt naast haar zitten. Het is nu wachten op Ilias en Kim.
'Ze maken er wel werk van, geen vluggertje vanavond,' fluistert ze in Stephans oor.
Na een paar minuten verschijnt Ilias als eerste. Kim loopt met een gebogen hoofd achter hem.
'Kim, heb je een nieuw kapsel? Oh nee, het is stro,' lacht Stephan.
Janine draait zich om en kijkt iedereen vragend aan. 'Heb ik wat gemist?'
Er komt geen antwoord en als Willem binnenkomt, vraagt hij zoals gewoonlijk alle aandacht.
'Goed dat ik jullie hier allemaal tref. Morgen gaan we naar een boer in de omgeving om hem te helpen met het maken van een afrastering voor het vee. We zullen er de hele dag zijn. Ze hebben een gehandicapte zoon, die Simon heet. Hij is ongeveer van jullie leeftijd en hij is erg aardig. We vertrekken meteen na het ontbijt, dus zorg dat je je werkkleren aanhebt. Oké, heeft er iemand zin in een potje scrabble? Suzie?'
'Tja, ik zou wel willen, maar ik moet mijn bed nog in orde maken.' Ze draait zich om en vraagt Kim zo lief mogelijk: 'Kim, zou je me alsjeblieft willen helpen? Ik weet niet goed waar alles ligt en ik vind het zo leuk om nog even met je te kletsen.'
Kim kijkt haar fronsend aan.
'Kom je? Lekker even meiden onder elkaar?'

Kim staat op en loopt naar de gang. Ze heeft een doosje in haar hand.
'Heb je een cadeautje van je vriendje gehad?' vraagt ze als ze de trap op lopen.
Geen reactie.
Als ze in de slaapkamer komen, gaat Kim demonstratief met haar rug naar haar toe op het bed zitten.
'Sorry, hoor, je kunt me vertrouwen. Ik vertel het niet verder. Je snapt toch ook wel dat ik geschrokken ben. Gisteren deed je nog zo moeilijk toen ik vroeg of je verkering had.'
Er komt weer geen reactie.
'Hoe lang hebben jullie al iets met elkaar?'
Dan draait Kim zich om en kijkt haar supergeïrriteerd aan. 'Ik bemoei me toch ook niet met jouw zaken?'
'Je begrijpt me verkeerd. Ik wil me niet met jouw zaken bemoeien. Je hebt groot gelijk dat je het met Ilias doet. Hij is een lekker ding, misschien zelfs wel lekkerder dan Mirsad. Ik heb het nog nooit met hem tussen de geiten gedaan. De laatste keer dat we...'
'Hou op, ik ben er helemaal niet in geïnteresseerd met wie je het allemaal gedaan hebt,' zegt Kim half huilend.
'Jezus, wat heb jij?'
'Waarom moest ik met je mee naar boven?'
'Moest? Ik heb je niet gedwongen, hoor. Het is toch leuk om een beetje met elkaar te kletsen? Snap je dan niet dat ik me na het vertrek van mijn moeder en Christine nogal eenzaam voel?'
Kim kijkt haar nog altijd boos aan.
'Weet je waarom ik in dit heerlijke vakantieoord terecht ben gekomen?' fluistert ze richting Kim.
Als ze geen antwoord krijgt, gaat ze snel verder met haar verhaal.
'Ik ben beschuldigd van ongewenste seksuele activiteiten met een veertienjarig meisje. Niet dat ik dat echt gedaan heb. Hallo, ik ben geen lesbo. Maar ik was wel aanwezig toen het gebeurde. Het meisje heeft het zelf uitgelokt. Ze vond het wel gaaf dat er foto's van haar werden gemaakt. Je had haar moeten zien. Ze trok maar

al te graag haar kleren uit. Zo zielig als je zoiets doet. Tja, en een paar gasten zijn te ver gegaan, met vastbinden en zo. Mirsad heeft gelukkig onder ede verklaard dat ik er niets mee te maken had en dat heb ik natuurlijk volgehouden. Dat Mirsad alle schuld op zijn vriend heeft geschoven, is niet mijn probleem.'

'Hou op, ik wil dit helemaal niet weten. Je vertelt het alsof het de normaalste zaak van de wereld is om zoiets te doen!' roept Kim.

'Heus niet, maar dat meisje heeft het zelf uitgelokt,' roept ze geïrriteerd terug.

'Ik ga naar beneden, ik wil nog douchen,' zegt Kim en ze loopt voor haar langs de kamer uit.

Ze staat ook op en pakt het reservemobieltje uit haar kast. Even met een normaal mens praten.

14

Stephan

Janine en Willem zijn naar hun eigen gedeelte in de boerderij vertrokken.
Ilias zit aan de tafel en leest in een voetbalblad. Hij negeert alles en iedereen om zich heen.
Hij heeft zin om zijn mocrovriendje nog eens lekker op stang te jagen.
'Hoe was het in de geitenstal?'
'Gaat je niets aan,' antwoordt Ilias.
'Wat staat er eigenlijk over seks in het reglement? Als je al niet bij elkaar op de kamer mag komen?'
Ilias doet alsof hij het niet hoort.
Hij pakt een van de mandarijnen van de schaal en gooit hem op het voetbaltijdschrift.'Ik vroeg je wat.'
'Eikel, hou je rotzooi thuis en als je de regels precies wilt weten, moet je het aan Willem of Janine vragen.'
'Oh, nu snap ik het, in jullie cultuur is het normaal om het tussen de geiten te doen, of doen jullie het met de geiten?'
Dit keer beweegt Ilias zijn hoofd langzaam omhoog en kijkt hem vuil aan. 'Klootzak,' is alles wat hij zegt.
'Grapje, jongen, staat er iets over Ajax in het blad?'
Ilias zwijgt. Weer die arrogante houding van die Marokkaan. Alsof hij lucht voor hem is.
'Jij staat ook niet echt achter jouw club, als je niet eens de posters durft te laten hangen.'
'Als ik jou was, zou ik nu ophouden,' zegt Ilias bloedserieus.
'En anders?'
'Schiet ik op een dag een kogel door je kop,' antwoordt Ilias opvallend rustig.

Even is het stil. Het is natuurlijk wel een buitenlander.
Ilias gooit het blad dichtgeslagen op tafel. 'Grapje, jongen, daar hou je toch van?'
'Zo is het, maar wat ik je nog wil vragen... Doet Kim het met iedereen? Dan maak ik vanavond nog een afspraak met haar.'
'Als je met je poten aan Kim komt, zweer ik je dat je daar heel veel spijt van zult krijgen.' Ilias snuift als een valse hond en heeft een zeer agressieve blik in zijn ogen.
'Oké, oké, wees maar niet bang, zo ben ik niet. Trouwens ik val meer op Suzie.'
'Goed zo, dan pak je haar toch, als je dat zo nodig moet.'
De deur zwaait open en Suzie staat lachend voor hun neus. 'Is hier nog iets te beleven?'
'Nou, Ilias en ik hadden het wel gezellig samen, maar als jij iets te bieden hebt, ben je van harte welkom.'
'Ja, ik ga nog een sigaret roken. Ik heb er twee gedraaid van het pakje shag dat de speurneus over het hoofd heeft gezien.'
Even flitst de belofte aan zijn moeder door zijn hoofd. Geloof me, mama, ik ga me aan de regels houden. Ik ga bewijzen dat ik geen meeloper ben.
De nicotinebehoefte verdrijft de gedachte erg gemakkelijk.
Ilias reageert niet en Suzie staat al bij de deur te wachten. Samen lopen ze naar buiten.
Het is donker en koud. Suzie lijkt zich er niets van aan te trekken en hij volgt haar naar de achterkant van de boerderij.
Ze steekt twee shagjes op en duwt er een in zijn handen. 'Zo, even relaxen, wat een klotezooi hier, vind je niet?'
'Dat kun je wel zeggen,' zegt hij en hij inhaleert diep. 'Maar ik ben wel blij dat Paul zonder al te veel gezeur is vertrokken. Voor hetzelfde geld had hij me niet geloofd.'
'Waar heb je het over?'
'Ach, niet interessant.'
'Ik ben echt blij dat Christine en mijn moeder zijn opgerot. Altijd dat gezeik over mijn gedrag. Alsof mijn moeder altijd zo verstandig is!'

Hij gaat naast haar op een stapel hout zitten.
Plotseling hoort hij voetstappen en op hetzelfde moment wordt hij verblind door een lichtstraal die recht in zijn ogen schijnt. Zijn sigaret valt uit zijn hand.
Willem staat wijdbeens voor hem en kucht luidruchtig.
'Dit is bijzonder dom van jullie. Met deze actie hebben jullie jezelf een rookverbod voor onbepaalde tijd cadeau gedaan. Opstaan en naar je kamer.'
De schrik heeft zijn lijf verlamd. Suzie is al naar binnen gegaan, maar hij lijkt vastgekleefd aan het hout. Willem verplaatst zich geen centimeter.
Hij zou iets willen zeggen, maar het gaat niet.
'Ga je nog wat doen?' vraagt Willem.
Het lukt, zijn benen brengen hem naar de achterdeur. Shit, wel toevallig dat Willem na een paar minuten voor hun neus staat. Ilias? Als die Marokkaan dit geregeld heeft, laat hij niets van hem heel.
De behoefte om naar zijn kamer te gaan, wordt met de seconde groter. Ilias zal praten.
De deur van de slaapkamer staat open. Geen Ilias.
Hij gaat op zijn bed liggen en voelt zich beroerd. Dit gaat niet goed.
Na een paar minuten komt Ilias binnen. Hij heeft slechts een handdoekje om zijn bruine lijf en kijkt overdreven onschuldig. Wanneer Ilias dan ook nog begint te fluiten, zou hij hem heel graag een klap tegen zijn irritante smoel willen geven.
Hij staat op van zijn bed, loopt naar zijn halfnaakte kamergenoot en kijkt hem van top tot teen aan. 'En? Heb je nu je zin?'
Ilias schudt zijn hoofd en loopt naar de spiegel.
'Heb je nu je zin?' vraagt hij nog een keer, maar nu met iets meer power.
'Wat moet je nu weer van me? Laat me met rust, man, dan bemoei ik me ook niet met jou,' is het antwoord van Ilias.
'Vuile verrader, ik pak je terug, dat beloof ik je.'

15

Ilias

Het werken bij boer Picard was behoorlijk zwaar geweest. De lunch ook, maar die was wel heel lekker. Geroosterde kip, friet en heel veel cola.
Stephan had erg zijn best gedaan om zijn spierkracht te tonen. In tegenstelling tot Suzie, die echt geen klap had uitgevoerd. Wel slijmen met die gehandicapte Simon. Gewoon zielig, want die jongen had natuurlijk niet door dat ze er niets van meende.
Nadat ze nog even met de pasgeboren hondjes hadden gedold, had Willem hun voorgesteld om nog een uurtje in het dorp rond te kijken.
De weg ernaartoe is kronkelig en Kim valt voortdurend tegen hem aan. Niet dat hij dat erg vindt, maar het is hem niet ontgaan dat Stephan en Suzie, die achter hen zitten, er misselijke grapjes over maken.
Net zoals die misselijke beschuldiging van gisteravond. Nadat Stephan hem nog zeker tien keer voor verrader had uitgemaakt, had hij zijn geduld verloren. Hij had Stephan duidelijk gemaakt dat hij niet eens de moeite wilde nemen om met Willem te praten over zijn huisgenoten. Stephan had nog wat nagebrald, maar was toen gaan slapen.
Gisteravond was het hem helaas niet gelukt Kim te vertellen dat hij absoluut geen spijt had van hun ontmoeting, maar ze was niet meer naar beneden gekomen.
Toch vreemd dat hij zijn gevoelens voor Kim niet eerder zo intens heeft ervaren. Waarschijnlijk was hij er zo van overtuigd geweest dat ze niets met jongens wilde, dat hij het gevoel compleet had gedeletet.

Als hij opzij kijkt, tilt ze haar hoofd op en ze kijkt hem ontzettend lief aan. Hij knijpt heel even in haar hand. Hoe kan hij haar duidelijk maken dat hij echt om haar geeft?

Het dorp is uitgestorven. In de zomer krioelt het er van de toeristen, maar die vermaken zich op dit moment liever in Tirol of zo.
Als ze in de enige winkelstraat komen, stopt Suzie bij een sieradenwinkeltje.
'Wauw, wat een gave spullen hebben ze hier. Kunnen we even kijken, please?' roept ze luidruchtig.
Als Willem toestemming geeft, lopen ze achter Suzie aan naar binnen. De verkoopster knikt vriendelijk en roept iets onverstaanbaars.
Hij blijft in de buurt van Kim en als ze bij de vitrinekast met natuurstenen staat, buigt ze zich over het glas en zegt zonder zich speciaal tot iemand te richten: 'Wat ontzettend mooi, die kleur.'
Het moet de bloedkoraal zijn waar ze het over heeft. Een dieprode steen in een zilveren hartje. *Vijfenveertig euro*, leest hij op het prijskaartje.
Suzie is na een kwartier nog volop aan het rondneuzen, maar Willem duwt haar, nadat hij het eerder vriendelijk gevraagd heeft, naar buiten. Mokkend loopt ze achter de rest aan.
Die meid zal het hier nog erg moeilijk krijgen.
Vijfenveertig euro, dat betekent dat hij vijfentwintig euro tekortkomt.

Als ze thuiskomen, heeft Janine het eten op tafel staan.
Na een dag buiten werken, eet je hier altijd meer. De eerste weken was hij maar liefst vier kilo aangekomen.
Tijdens het eten worstelt hij met de vraag hoe hij aan het resterende geld kan komen. Lenen is niet toegestaan en vijf euro zakgeld per week schiet ook niet op. Willem is na het uitstapje direct naar de keuken gegaan. De portemonnee ligt dus niet in het

woongedeelte. In zijn broek dan? Nee, hij heeft de portemonnee na het kopen van een krant in zijn jaszak gedaan. In de bruine jas die nu aan de kapstok in de keuken hangt.
Als ze klaar zijn met eten, beveelt Janine Stephan en Suzie naar de administratieruimte te gaan. Er moeten nog gegevens worden ingevuld.
Kim heeft keukendienst.
'Ik help je wel,' zegt hij wanneer ze de borden onder de warme kraan houdt.
Willem wil nog even bij de geiten langs en verlaat de keuken. Zonder jas.
'Kim, heeft Suzie gisteren nog moeilijk gedaan?'
'Gaat wel, ze vertelt niets aan Willem of Janine, maar of ze te vertrouwen is?'
'Stephan was naar mij toe ontzettend irritant. Eerst lag hij te zeiken over ons en later heeft hij me voor alles en nog wat uitgescholden, omdat ik Willem zou hebben ingelicht over het stiekem roken.'
'Had je dat gedaan dan?'
'Wat denk jij, eens een verrader, altijd een verrader?'
'Natuurlijk niet. Wat jouw vrienden van je vinden, kan mij niet schelen. Ik vind je leuk en ik geloof je wel.'
Het is even stil, maar het voelt goed dat ze hem vertrouwt.
'Ik heb nog wel moeten denken aan wat je zei over je broer,' probeert hij voorzichtig.
'Ik wil het vergeten. Het is heel erg ingewikkeld. Als je vader blijft beweren dat hij zijn zoon heeft gedwongen en alle schuld op zich wil nemen, kan ik beter... Ik moet verder met mijn leven, Ilias.'
'Oké, als je het niet aan mij wilt vertellen, is het goed, maar sommige dingen kun je niet alleen oplossen. Weet je, ik ga ervoor zorgen dat jij hier een goede tijd gaat hebben. Ik zorg ervoor dat die twee losers het niet voor ons gaan verpesten.'
Ze lacht naar hem en hij voelt weer die drang om haar te kussen.
'Wat sta je me nu aan te staren, je kwam me toch helpen?'

Hij zwaait de theedoek in de lucht. 'Ik sta geheel tot uw beschikking, mevrouw Tasman.'
Als hij de glazen heeft afgedroogd, moet hij weer denken aan de ketting. Hij gooit de theedoek over zijn schouder. 'Ik moet even naar de wc,' zegt hij en hij draait zich om. In een strakke lijn loopt hij naar de kapstok. De jas hangt aan de laatste haak. Als hij in een flits omkijkt, ziet hij Kims rug en een paar armen die druk in de weer zijn met de borden.
Als hij precies naast de jas staat, beweegt hij zijn linkerhand naar de linkerjaszak. Niets. Dan de rechter. Hij voelt de portemonnee en grijpt hem stevig vast. In een snelle beweging stopt hij hem onder zijn trui. Zijn ademhaling versnelt. Naar de wc, nu.
Met twee handen op zijn buik geklemd, staat hij bij te komen. Dan haalt hij voorzichtig de rode portemonnee tevoorschijn en opent de eerste rits. Pasjes. Dan de tweede rits. Hij telt het geld. Twee briefjes van vijf, twee van twintig en een paar losse euro's. Als hij een briefje van twintig en een van vijf eruit haalt, is het misschien te opvallend. Hij telt de muntstukken. Een, twee, drie...
De deur wordt opengegooid. Stephan staat voor zijn neus en kijkt naar de portemonnee en daarna naar het geld in zijn hand.
'Als ik me niet vergis, is dat de portemonnee van Willem. Of heeft hij soms vanmiddag jouw portemonnee gebruikt om de krant te betalen?' zegt Stephan heel langzaam.
Hij wil zijn handen bewegen, aan Stephan vertellen dat het een vergissing is, maar in plaats daarvan stottert hij: 'Zeg alsjeblieft niks. Ik leg alles meteen terug.'
De lach van Stephan wordt hem te veel. Gehaast en binnensmonds vloekend verlaat hij de ruimte.

16

Kim

Het blijft door haar hoofd spoken waarom Ilias gisteravond plotseling zo afstandelijk en zenuwachtig deed. Hij had misschien nog vijf woorden tegen haar gezegd en was daarna naar boven gegaan omdat hij hoofdpijn had. Had ze hem beledigd? Had ze meer moeten vertellen over haar problemen? Of had hij verwacht dat ze hem zou kussen?
Vandaag gaan ze met zijn allen nog een dag naar boer Picard. Nog meer palen in de grond slaan.
Over een uur moet ze haar bed uit om het ontbijt klaar te maken. Suzie ligt nog rustig te slapen. Het is wel heel erg duidelijk dat ze totaal verschillend zijn. Alleen al hoe ze over jongens praat, en dan dat walgelijke verhaal over dat meisje! Wie doet er nu zoiets? Best wel eng om met haar op één kamer te slapen. Wie zegt dat ze mij niet zal dwingen allerlei akelige dingen te doen? Straks beveelt ze mij ook mijn kleren uit te doen.
Het is alweer woensdag. De dag dat ze naar huis mag bellen. Het wordt steeds moeilijker een gesprek te voeren. Ze heeft zo weinig te vertellen en het is net of de afstand steeds groter wordt. Volgens Janine is het goed om die afstand te voelen. Pas dan kun je loskomen van je ouders en ervaren wie je bent, wat je voelt en vooral wat je zelf wilt.
Het zal allemaal best wel, maar wat als ze straks weer thuis is?

Als ze gedoucht heeft, probeert ze de houtkachel te laten branden. Ilias is als eerste, opvallend vroeg, beneden. Hij ziet er moe en somber uit.
'Heb je niet goed geslapen?' vraagt ze hem.

Hij schudt zijn hoofd en zegt: 'Ik ben heel vaak wakker geworden.'
'Ik vond dat je gisterenavond zo vreemd deed,' probeert ze nog maar eens.
Hij haalt zijn schouders op en zucht diep. 'Ik ben zo ongelooflijk stom geweest.'
Ze schrikt. Zie je wel. Hij gaat nu zeggen dat het één grote vergissing was.
'Wat bedoel je?'
'Stephan heeft me gisteren betrapt met de portemonnee van Willem.'
'Wát?'
'Ik weet het. Ik ben zo'n eikel.'
'Waarom doe je zoiets?'
Hij kijkt haar niet aan en haalt zijn schouders op.
'Heeft hij het aan Willem verteld?'
'Ik weet het niet, maar als hij wraak wil nemen, gaat hij het nu zeker doen.'
'Misschien moet je het Willem zelf vertellen?'
Hij kijkt haar hopeloos aan.
Ze gooit een stuk hout op het vuur en hoort iemand binnenkomen. Willem heeft in beide handen een aantal eieren en heeft zo te zien geen last van een ochtendhumeur. 'Goedemorgen, kijk eens, vers van de kip.'
Ilias reageert niet. Hij knijpt hem natuurlijk. Wat een idioot, waarom doet hij zoiets?
'Ik ga nog snel even douchen,' roept Ilias en hij rent zowat de keuken uit.
'Kim, hoe vind jij dat het gaat met de nieuwelingen?' vraagt Willem, terwijl hij de eieren in de mand legt.
Ze heeft op dit moment helemaal geen zin om erover te praten en gooit nog maar een blok hout in de kachel.
'Kim?'
'Ik weet het niet. Het komt wel goed.' Ze hoopt dat hij verder zijn mond houdt.

'Blijven we de hele dag weg?' probeert ze van onderwerp te veranderen.
'Ja, maak dus maar een stevig ontbijt.'
De anderen komen één voor één binnen en zoeken stilzwijgend een plaatsje aan de tafel.
Het lijkt alsof ze in een klooster terecht zijn gekomen waar iedereen een zwijgplicht heeft afgelegd.

Als ze bij boer Picard het erf op rijden, staat Simon midden op het pad. Hij zwaait met beide armen in de lucht en heeft een brede grijns op zijn gezicht. Heerlijk als iemand zo uitbundig kan lachen en dat zonder erbij na te denken over wat anderen ervan vinden.
Als ze uit de auto stappen, loopt Simon met grote passen regelrecht naar Suzie.
Wat heeft ze die jongen beloofd? Hij lijkt wel betoverd.
Als Simon drie klapzoenen van zijn grote vriendin heeft ontvangen, lacht hij luid en stoot hij een paar onherkenbare Franse klanken uit. Suzie huppelt arm in arm met hem naar de schuur waar het gereedschap ligt.
Ilias vraagt om de grootste hamer en slaat een paar keer gefrustreerd tegen de muur. Ze zou hem vast willen pakken en hem willen dwingen met haar te praten over het geld. Wat is hij van plan? Ze moet in de buurt van hem blijven en het later proberen.
Ze lopen zwijgend naar de plaats tot waar ze gisteren gekomen waren. Er liggen nog minstens tweehonderd palen die de grond in moeten.
Ilias loopt zonder iets te vragen of om te kijken naar de enorme stapel. Ze moet nu haar kans grijpen om hem te helpen. Ze werken namelijk in koppels.
Ze pakt een paal en houdt hem stevig vast. Ilias slaat hem met enorm veel kracht de grond in. Het kost haar echt veel moeite het stuk hout recht te houden.
'Doe je mee aan de kampioenschappen sterkste man van de wereld of zo?' vraagt ze hem.

Hij slaat nog een keer zo hard op de paal alsof zijn leven ervan afhangt en kijkt haar daarna uitdagend aan.
'Ik moet mijn frustraties kwijt.'
'Over mij?'
'Nee, natuurlijk niet. Over mezelf. Ontzettende eikel die ik ben.'
En weer slaat hij loeihard.
'Volgende,' roept hij.
De anderen kijken hem verbaasd aan.
'Ilias, waarom heb je de portemonnee gejat?' vraagt ze, terwijl ze de volgende paal een meter verderop in de grond duwt.
'Wil je niet weten,' is het antwoord.
'Waarom vraag ik het dan?'
Hij gaat stug door met het slaan alsof het zijn dagelijkse werk is. Haar lijf schudt en ze is er helemaal niet zeker van dat hij niet op haar handen mept.
'Hallo, doe eens normaal, straks sla je míj.'
'Dat nooit, ik sla nooit mensen en zeker jou niet.'
Ze kijkt naar de zweetdruppels op zijn voorhoofd. Ze is verliefd. Heel erg verliefd.
Wat ze nooit voor mogelijk heeft gehouden, gebeurt. Ze laat de paal los, draait zich om en pakt zijn handen even beet.
'Ik ben verliefd op je.'
Ilias staat doodstil en kijkt haar serieus aan.
De paal valt op de grond. Ze staan bewegingloos tegenover elkaar. Ilias met een grote hamer en zij met lege handen. Er zit niets anders op dan ze te vullen met zijn lichaam. Het voelt boos, gespannen, maar ook warm en lekker.

17

Suzie

Als ze de kleffe omhelzing van Ilias en Kim ziet, kan ze het niet laten op haar vingers te fluiten en te roepen: 'Hé, gaat ie lekker?' Helaas reageren ze niet.
Simon staat al minstens een halfuur zo dicht bij haar dat ze soms zijn adem kan voelen. Niet echt prettig, maar als ze hem te vriend wil houden, heeft ze weinig keus. Hoe moet ze haar plan duidelijk maken aan een jongen die alleen maar wartaal uitslaat, abnormaal veel in zijn handen klapt en zijn dikke tong graag aan de hele wereld wil laten zien?
Stephan lijkt nogal geïrriteerd. Komt waarschijnlijk aandacht te kort.
'Stephan, kom op jongen, Ilias is al met zijn vierde paal bezig,' roept Willem van een grote afstand.
'Die heb ik zo ingehaald,' roept hij terug en wijst haar, zijn lieftallige assistente, de plaats aan waar ze de paal in de grond moet steken. Dat jongens toch altijd weer die behoefte hebben om hun spierkracht te laten zien.
Zonder het afgesproken te hebben, volgt er een wedstrijdje.
'Zeven,' roept Ilias wanneer Stephan nummer vier erin slaat. Kim werkt zonder commentaar mee met haar vriendje, maar dat is zij dus op deze manier niet van plan.
'Hé, hallo, je hoeft je voor mij niet te bewijzen, hoor. Straks mep je mijn hand er nog af,' gilt ze naar Stephan.
'Hou nu maar vast, watje, hou je kop en schiet een beetje op,' commandeert hij haar.
Dat moet hij niet bij haar doen. Ze gooit de paal op zijn voet. 'Klootzak.'

Als ze in de richting van de schuur loopt, pakt Simon haar hand en maakt hij rare passen om haar bij te houden.
In de schuur staat, zoals ze al gedacht had, de auto van boer Picard. Een mooie gelegenheid om eens een kijkje te nemen. Simon zit al in de auto wanneer ze het portier aan de bestuurderskant opent. Geen sleutels. Als ze naar het contactslot wijst en haar schouders ophaalt, knikt Simon en rent hij de schuur uit.
Hij zal toch niet?
In het dashboardkastje ligt een wegenkaart, waarschijnlijk van de omgeving. En, yes, een half pakje sigaretten. Heel snel verdwijnt het pakje in haar jaszak en ze verlaat de auto.
Simon komt hijgend de schuur binnen en stormt op haar af. Hij duwt iets kouds in haar handen. Dus toch! Ze weet het niet zeker, maar het lijkt verdacht veel op de autosleutel. Ze aait Simon over zijn bol en steekt haar duim op. Hij kijkt wel verbaasd als ze de sleutel in haar jaszak laat glijden. Ze legt haar wijsvinger op haar lippen en Simon doet precies hetzelfde. 'Ssst,' fluistert hij. Ze pakt zijn hand en samen lopen ze nog even naar de jonge hondjes. Het zijn zeven zwart-wit gevlekte puppies, die allemaal proberen een plekje dicht bij hun moeder te krijgen.
Buiten roept iemand haar naam. Snel pakt ze Simons hand en loopt met hem naar Willem, die haar vragend aankijkt.
'Ik wilde echt eerder terugkomen, maar Simon sleurt mij overal mee naartoe. Ik kan hem toch niet weigeren?'
'Vanaf nu help je alleen nog maar Stephan met de palen en laat je je handjes wapperen, anders heb ik vanavond nog wel een extra taakje voor je.'
Willem loopt met Simon naar de boerderij en voor haar zit er niets anders op dan Stephan te helpen. Hij heeft zo te zien de strijd met Ilias al opgegeven. Wie is er hier een watje?
Ze voelt zich er niet helemaal gerust op dat Simon terug naar het woonhuis is. Wat als hij nu toch ineens kan praten?
Het valt niet mee om de hele dag te sjouwen en de bevelen van Stephan op te volgen, maar met een beetje mazzel zijn deze af-

beuldagen op één hand te tellen. En wat de dag ook nog een beetje goedmaakt is het verhaal over de portemonnee dat Stephan haar in geuren en kleuren heeft verteld.

Gelukkig had Willem haar niet meer lastiggevallen met zijn gezeur en was het karwei rond vier uur geklaard. Simon had ze niet meer gezien.

Als ze na het avondeten alleen op haar kamer komt, bergt ze de sleutel op in de kast waar haar mobieltje ook ligt. Simon zal haar niet verraden. Al zou hij het willen, er komt geen enkel zinnig, verstaanbaar woord uit zijn mond. Boer Picard heeft vast een reservesleutel.
Ze zou Mirsad kunnen bellen. Dan ziet ze het papiertje van Jon tussen haar spulletjes liggen. Misschien kan ze hem voor haar plannen inschakelen?
Ze luistert of er niemand in de buurt is en toetst het nummer in dat onder aan het blaadje staat.
Hij gaat over.
'Met Jon.'
'Hé, hallo, met Suzie, je weet wel, we kwamen elkaar tegen in de trein.'
'Natuurlijk weet ik het. Hoe is het?'
'Goed, waar zijn jullie uiteindelijk terechtgekomen?'
'Oh, even kijken. Saint Antonin Nobles Val of zoiets.'
'Waar ligt dat?'
'Eh, ja, precies weet ik het niet, maar ongeveer honderd kilometer boven Toulouse.'
'Echt? Volgens mij zitten we dan bij elkaar in de buurt.'
'Meen je niet.'
'Jawel, en geldt het aanbod nog?'
'Altijd, maar hoe lang blijf je daar nog?'
'Niet zo lang, een weekje, of misschien minder.'
'Wij nog minstens twee weken, dus wat houdt je tegen?'

'Niets, ik hou wel van een avontuurtje.'
Ze hoort iemand de trap op komen en loopt met de telefoon in haar hand naar de deur.
'Jon, ik moet ophangen, want mijn moeder heeft me nodig. Ik bel je nog.' Ze zet snel haar telefoon uit en stopt hem in haar broekzak.
De deur van de kamer aan de overkant wordt open- en dichtgedaan. Ze zucht en loopt terug om haar spullen goed op te bergen.
Als ze op haar bed ligt, valt haar oog op het openstaande nachtkastje van Kim. Ze loopt er op haar tenen naartoe en maakt het deurtje verder open. Boven op een stapel brieven en boeken, ligt een dagboek. Het zit natuurlijk op slot. Ze pakt het voorzichtig in haar handen. Niks op slot!
Snel bladert ze van voor naar achter. Minstens tien jaar van een mensenleven. Kon de deur maar op slot. Kim had gewoon iets meer over zichzelf moeten vertellen en niet zo geheimzinnig moeten doen!

18

Stephan

Ilias laat hem voorlopig wel met rust. Dat gezicht van hem toen hij hem betrapte! Wel jammer dat hij met Suzie heeft afgesproken niets tegen de leiding te zeggen. Die griet heeft grootse plannen. Het rookverbod valt hem zwaarder dan hij had gedacht. Het wordt steeds moeilijker het nut van dit hele project nog te zien. Suzie heeft gelijk. Wie zegt dat hij hier beter van wordt? Wat heeft het voor nut om eindeloos palen in de grond te slaan?
Maar zijn moeder? Het zal haar zo veel verdriet doen als hij het niet volhoudt. Ondanks alles heeft ze nog alle vertrouwen in hem. Ze heeft hem zelfs voorgesteld zijn autorijlessen te betalen wanneer hij weer thuis is. Hij kan nu nog niet naar huis, dat kan hij haar niet aandoen. Hij voelt zich letterlijk misselijk als hij alleen al denkt aan de confrontatie met zijn vader. Nee, het plan van Suzie is beter, maar dan moet hij wel aardiger tegen haar doen. Aardig doen tegen een meisje... Hoe moet dat?
Als zijn vader na de zoveelste ruzie met zijn moeder aardig probeerde te doen, kwam hij met de meest idiootste dingen aandragen. Kristallen beestjes, de nieuwste keukenapparatuur; en dan die keer dat een of andere firma een superduur fitnessapparaat kwam installeren. Nooit een vriendelijk woord, kus of aanraking. Oh nee.
Geld is een verslaving. Waarschijnlijk ook nog erfelijk. De laatste jaren had hij zelf ook nogal riskante acties ondernomen om aan geld te komen. Van pasjes vervalsen, gestolen goed verpatsen, tot berovingen. Hij had er nooit wakker van gelegen. Wel van de bedreiging van zijn zogenaamde vrienden, die geld nog belangrijker vonden dan hijzelf.

Shit, een sigaretje. Suzie had vanmiddag toch verteld dat ze weer kon zorgen voor de nicotinebehoefte? Ze is een uur geleden naar boven gegaan, en voorzover hij weet niet meer teruggekomen.
Als hij voor haar deur staat, twijfelt hij. Als ze zo meteen weer bloot voor hem staat?
Hij luistert, maar hoort niets. Misschien slaapt ze?
Voorzichtig klopt hij op de deur. Gerommel en even later de stem van Suzie: 'Ja, wat is er?'
'Ik ben het, Stephan. Ga je nog even mee naar buiten?'
'Ja, wacht, ik kom eraan.'
Na een paar seconden staat ze nogal hyper voor zijn neus.
'Wat was jij aan het doen?'
'Niks, maar ik moet nu roken, of misschien nog beter...'
Hij kijkt haar aan, maar ze zegt niets meer en loopt naar beneden.
'Ik moet nog even naar de wc. Wacht op me bij de jonge poesjes.'
Gelukkig is er niemand in de keuken en kan hij ongezien naar de schuur lopen.
De poesjes zijn nu twee weken oud en liggen heerlijk bij hun moeder. Ach, nee, wat zielig. Een heel klein grijs bolletje ligt alleen achter in het hok.
Suzie komt binnen en sluit snel de deur achter zich. 'Zo, even bijkomen. Wat ben jij aan het doen?'
Hij heeft het verstoten poesje in zijn handen en laat het aan Suzie zien. 'Moet je kijken, dit grijze poesje wordt door haar moeder verstoten.'
Wanneer Suzie het poesje van hem overneemt, houdt ze het beestje tegen haar wang en fluistert: 'Ach, kom maar. Wat heb jij voor een moeder? Maar goed dat je op een zorgboerderij woont, want daar zijn er meer die een moeilijke relatie met hun moeder hebben.'
'Suzie...'
'Stil even. Je ziet toch dat het beestje bang is? Heb je geen gevoel of zo?'
'Ik wil je alleen maar vragen of je...'

'Ssst, kom maar kleintje, dan probeer ik je bij je moeder te zetten.' Ze loopt naar de andere poesjes en zet klein grijsje ertussen. Het lijkt goed te gaan.
'Suzie, ik heb nog eens nagedacht. Ik wil ook zo snel mogelijk hiervandaan.'
Ze knikt en kijkt hem doordringend aan. 'Goed, maar alles gaat volgens mijn plan.'
Ze pakt een doosje uit haar jaszak. 'Wil je ook een snoepje?'
'Ik dacht dat je iets te roken bij je zou hebben,' zegt hij een beetje teleurgesteld.
'Heb ik ook, maar dit is veel beter en je ruikt niets, snap je?'
'Wat is het?'
'Neem nu maar. Gewoon slikken.'
Als hij een paar tellen nadenkt, wil ze het doosje weer in haar zak doen.
'Oké, geef me er maar een.'
Hij verzamelt een beetje speeksel in zijn mond en slikt het pilletje gemakkelijk door. Hij heeft niet eens de behoefte om te weten waar ze ze vandaan heeft.
Als Suzie ook een pilletje heeft genomen, gaat ze op een krat zitten en kijkt hem indringend aan.
'Dus jij wilt met mij het avontuur gaan opzoeken?'
Hij knikt.
'En ik kan jou vertrouwen?'
Weer knikt hij.
'Wat we nodig hebben is een auto, iemand die kan rijden, geld, eten, een zaklamp en een mobiele telefoon. Ik kan voor alles zorgen, geen probleem. Alleen het juiste tijdstip kiezen, dat is belangrijk.'
Hij is overdonderd door haar aanpak. Wat een lef. Als hij naar haar kijkt, ziet hij weer haar borsten voor zich. Hij kan zo door haar truitje heen kijken. Begint het pilletje te werken?
Hij lacht naar haar en voelt de spanning in zijn lijf langzaam wegglijden.

'Ja, ja, een auto, alsof dat zo gemakkelijk te regelen is. Met privé-chauffeur zeker?'
'Je hebt niet goed opgelet, jongen. Weet je niet meer wat er in het dossier van Ilias stond? Joyriding, en niet één keer maar meerdere keren. Meneer weet dus heel goed met een auto om te gaan.'
'Ja, en hij ziet ons al aankomen.'
'Jij snapt er nog niks van, hè? Wat heb ik je nu gezegd over het achterhouden van informatie?'
'Als ik het goed begrijp, wil jij...'
'Je hoeft helemaal niets te begrijpen. Laat dat maar aan mij over en doe gewoon wat ik zeg. Straks gaat er weer een nieuwe wereld voor ons open.'
'Yes, ver weg, palmbomen, cocktails, zon, mooie meiden.' Zijn lach komt iets te hard uit zijn mond. 'Oh, sorry,' giechelt hij.
Suzie deint op en neer, alsof ze op langzame muziek danst. Ze gaat voor hem staan en beweegt haar handen over haar middel en borsten. 'Relaxed, Hawaï. Stephan, we gaan naar Hawaï.'
Als hij iets te snel gaat staan, moet hij zich even vasthouden aan een paal. 'Ik wil op zo'n banaan.'
'Wat?'
'Ik wil op een banaan, weet je wel, een geel, krom ding.'
Suzie danst verder en hij voelt het water en de wind in zijn haren.

19

Ilias

Het zit hem niet lekker dat Stephan doet alsof er niets is gebeurd. Wat is hij van plan?
Geen woord over de geitenstal of portemonnee. Ook Willem heeft niets gezegd, dus waarschijnlijk is hij niet ingelicht. Het is toch duidelijk dat Stephan een bloedhekel aan hem heeft? Die gast is niet te vertrouwen.
Wat zou hij graag met iemand praten over zijn angsten, over de bedreigingen.
De hoofdpijn wordt de laatste tijd steeds erger. 's Nachts ligt hij vaak wakker. Steeds maar weer die spookbeelden van achtervolgingen en schietpartijen.
Kim, zij is de enige die hij echt vertrouwt, maar wat kan zij doen?
Gisterenavond was ze naast hem komen zitten in het jongerenhuis. Hij had na lang aandringen vertelt over zijn plan de ketting voor haar te kopen. Ze had in eerste instantie boos gereageerd, maar later had ze het wel begrepen.
Het voelt goed om samen met haar te zijn. Heel anders dan met zijn vrienden en vriendinnen thuis. Bij haar heeft hij veel minder de behoefte zichzelf te bewijzen.
Hij had haar verteld over zijn familie. Over zijn grote wens de band te herstellen. Zijn vader te bewijzen dat hij een goede zoon is, een goed voorbeeld voor zijn broertjes en zusjes. Dat hij spijt heeft van zijn stommiteiten.
Kim had aandachtig geluisterd naar zijn verhaal en daarna alleen maar gezegd dat zij niet wist of ze de band met haar familie nog ooit wilde herstellen.

Wat ze allemaal heeft meegemaakt, blijft onduidelijk, maar het is zeker dat zowel haar vader als haar broer hun handjes niet thuis konden houden en ook dat Kim ervoor kiest om veel geheimen voor zichzelf te bewaren.
Hij had de anderen vandaag weinig gezien omdat hij met Willem naar de stad was geweest om nieuwe onderdelen voor de tractor te halen. Tijdens het eten was het hem duidelijk geworden dat het voor de anderen een slopende dag was geweest. In de stromende regen hadden ze een stuk land omgespit. Ze liggen waarschijnlijk uitgeput en chagrijnig op bed.
De gedachte aan zijn familie brengt hem op het idee een kaartje te schrijven.
Hij loopt naar de kaartenbak in de keuken. Als hij verschillende kaarten in zijn handen heeft gehad, ziet hij zijn naam staan op een van de brieven die vandaag zijn binnengekomen. Het geeft hem een akelig gevoel.
Het is een kleine envelop. De postzegel komt uit Nederland. Zijn naam is goed geschreven, maar hij herkent het handschrift niet. Geen afzender. Het voelt niet goed. Voorzichtig maakt hij hem aan de bovenkant open en haalt een dichtgevouwen vel papier eruit. Als hij het openvouwt, valt er een pluk zwart haar uit. Met trillende handen houdt hij het opengevouwen vel voor zich.

Hallo vriend,

Sorry dat we een tijdje niets van ons hebben laten horen. Dat komt omdat we hard aan het werk zijn. Taakstraf, maar dat ken jij niet, nee jij verraadt liever je vrienden en smeert hem naar Frankrijk.
We willen geld zien. De eigenaar van het wrak doet nogal moeilijk en de verzekering vergoedt namelijk niets, omdat jij zonder rijbewijs reed. Dus zorg voor minstens tweeduizend euro.
Je zus is een lekker ding. Mooie haren heeft ze.
Als we politie zien, gaat je familie eraan.

Hij leest de tekst nog een keer en stopt het blaadje daarna zorgvuldig terug.
Klootzakken, waar zijn ze mee bezig?
Met trillende handen pakt hij de haren van de grond en ruikt eraan. Shamira, wat moeten ze van haar? Hij loopt naar de houtkachel en gooit de pluk op het hout. Klootzakken.
Met de brief in zijn hand loopt hij in zijn T-shirt naar buiten. Willem zal de politie waarschuwen.
Hij moet bij zijn familie zijn als de politie actie gaat ondernemen. Hij moet met zijn eigen handen zijn familie beschermen. En het geld? Tweeduizend euro!
Het is zeker tien minuten lopen naar de boomhut.
Hij had nooit zo ver weg moeten gaan. Gewoon de taakstraf in Nederland moeten uitzitten.
Zijn vader en moeder inlichten kan echt niet. Zijn begeleider, Mike? Die stapt ook meteen naar de politie. Kim?
Als hij in de boomhut zit, kan hij slechts een puntje van de boerderij zien. Hij zou weg kunnen gaan, ver weg.
De achterste plank is gemakkelijk op te tillen. De zak voelt vochtig. Als hij beide brieven heeft uitgevouwen, vergelijkt hij het handschrift. Duidelijk verschil. Hoeveel personen zitten in dit complot? Wat willen ze nu bereiken? Hij pakt het pistool en houdt het tegen zijn slaap. Hoe weet je zeker dat het geladen is? Wat als er helemaal geen kogel in zit? Ze bluffen gewoon. Zijn hand begint weer te trillen. Wie kan het iets schelen als Ilias de verrader er niet meer is? Het slechte voorbeeld voor zijn broertjes en zusjes, de zoon die de naam van zijn familie heeft zwartgemaakt. Niemand. Hij drukt het uiteinde van het pistool harder tegen zijn slaap en sluit zijn ogen.
Zal het pijn doen? Blijft de kogel in zijn hoofd hangen? Hoe lang duurt het voordat je dood bent?
Zijn arm valt naar beneden. Hij laat zich op de grond vallen en kruipt in elkaar. Lafaard.

20

Kim

Er is iets met Ilias. Een paar dagen geleden waren ze zo close en nu praat hij amper met haar. Wat is er gebeurd? Hij lijkt afwezig, antwoordt met korte zinnetjes en trekt zich veel terug op zijn kamer. Heeft Suzie of Stephan er iets mee te maken? Weet Willem of Janine meer? Ze wordt gek van al die onbeantwoorde vragen. En dan ook nog vandaag de hele dag met Stephan doorbrengen. Volgens Willem en Janine is het wenselijk dat ze op deze manier elkaar beter leren kennen. Afschuwelijk: de hele dag met die stoere gozer in de geitenstal werken. Nog erger: Ilias de hele dag samen met Suzie.

Na het ontbijt loopt Willem met hen mee om het een en ander uit te leggen. Stephan sjokt een paar meter achter haar aan.
De geiten komen meteen naar hen toe.
'Ze kennen jou natuurlijk goed,' zegt Stephan lachend.
Ze bijt op haar kaken.
'Goed, er moet dus een afscheiding komen. De zwangere geiten gaan we apart zetten, en straks ook de kleintjes. Eerst deze vier palen in de grond en later de planken ertegenaan timmeren,' beveelt Willem.
Als Stephan tegen de muur leunt, zet Willem zijn volumeknop iets hoger.
'Kom op, jongen, die palen gaan er niet vanzelf in. Pak je schop en ik verwacht dat rond etenstijd zeker de helft van de muur er staat.'
Stephan haalt zijn schouders op, maar begint dan toch ijverig te graven.

Zodra Willem de deur heeft dichtgegooid, stopt hij, draait zich om en vraagt haar: 'Hallo, en wat ga jij doen?'
'Ik houd zo meteen een paal vast.'
'Oh ja, daar ben je natuurlijk goed in.' Zijn lach is waarschijnlijk tot in het woonhuis te horen.
Ze gaat voor hem staan en kijkt hem recht in de ogen. 'Ik wil dat je hiermee ophoudt. Ten eerste is het ontzettend kinderachtig en ten tweede kwets je me ermee. Als je iets tegen me hebt, zeg het gewoon en ga een eerlijke strijd aan, of durf je dat niet?'
Dit lucht op.
Stephan kijkt haar verbaasd aan. 'Wie zegt dat ik iets tegen jou heb?'
'Ik.'
'Houd die paal nu maar vast, dan sla ik hem in de grond in,' zegt hij, duidelijk minder stoer.
Hij slaat er als een idioot op los, maar ze wil zich niet laten kennen en houdt krachtig de paal op zijn plek.
Ze werken zich beiden in het zweet.
'Vind je ook niet dat Ilias de laatste dagen erg stil is? Volgens mij knijpt hij hem behoorlijk,' is de eerste zin die na een kwartier stilte uit Stephans mond komt.
'Heb je het aan Willem of Janine verteld?' vraagt ze hem.
'Nee, waarom zou ik, maar let je wel op je handen?'
'Omdat je een hekel aan hem hebt.'
'Dat zeg jij, ik heb niets tegen buitenlanders, hoor.'
'Nee, maar wel tegen hem.'
'Echt niet, ik vind het alleen irritant wanneer hij mij uit mijn slaap houdt.'
'Wat doet hij dan?'
'Hij praat in zijn slaap, of nee: hij gilt.'
'Oh ja, en wat zegt hij allemaal?'
'Van alles, maar bijna altijd gaat het over pistolen en schietpartijen. De eerste nacht was ik echt bang voor hem. Wie weet wat die gozer allemaal van plan is? Misschien is hij wel een echte killer.'

‘Geloof je het zelf? Ilias doet geen vlieg kwaad. Hij wil juist zijn leven beteren en zich van zijn goede kant laten zien.’
‘En jij? Heb jij iets aan dit oord?’
‘Ja, ik heb hier al behoorlijk wat geleerd, vooral over mezelf.’
‘En dat kun je alleen maar zo’n teringeind weg?’
‘Ik ben er wel blij mee.’
‘Nou, ik zou het liefst vandaag nog teruggaan.’
‘Niemand houdt je tegen, hoor.’
‘Ach, zolang we hier ook een beetje kunnen chillen...’
Ze kijkt hem aan, maar kan zijn gezicht niet zien, omdat hij weer druk graaft.
‘Dat zal je tegenvallen.’
‘Zolang Suzie pilletjes uitdeelt.’
Hij stopt met graven en haalt een paal op.
‘Pilletjes?’
‘Je houdt je kop, ze vermoordt me. Eén killer is misschien nog te overzien, maar...’
‘Oké, maar dan zeg jij ook niets over die portemonnee.’
Hij knikt, zet de paal in de grond en wacht totdat zij met beide handen het stuk hout stevig vasthoudt.
Dit keer slaat hij minder hard en fluit hij een of ander onbekend liedje.
Misschien valt hij toch wel mee.

21

Suzie

Niet te geloven dat ze met dit pokkenweer samen met Ilias de loshangende takken aan weerszijden van het pad naar de boerderij moet weghalen. In haar domme groene regenpak en rubberlaarzen voelt ze zich een grote groene glibberige kikker.
Ilias lijkt wel een professionele wegwerker in zijn knalgele zeilpak. Niet alleen door het pak, maar ook zijn uitsloverige gedoe. Jezus, wat kan die gozer werken.
Omdat Ilias niet veel zegt, kan ze verder met het uitbroeden van haar plannen. Het belangrijkste is Willem of Janine zover te krijgen dat ze met zijn allen nog een keer bij boer Picard op bezoek gaan. De smoes van haar sjaal die nog daar ligt, is niet overtuigend, maar iets beters schiet haar niet te binnen. Hoe komt ze aan geld en eten? Daar moet ze Stephan voor inschakelen. Ook een mes en een zaklamp zijn noodzakelijk. In het weekend gaan ze toch vaak naar de markt in het dorp? Dat ligt op de weg naar boer Picard. En Ilias?
'Heb jij al autorijlessen gehad?' roept ze naar hem.
Ilias stopt even met zagen. 'Nee, ik ben zestien, weet je nog?'
'Kan toch zijn dat je vader het je geleerd heeft?'
'Ja, mijn vader. Hij kan zelf niet eens autorijden.'
'Maar je zit hier toch omdat je er met een auto vandoor bent gegaan?'
Hij kijkt haar fronsend aan, maar zegt niets en gaat verder met zagen.
'Wat was het voor auto?' probeert ze nog maar eens.
'Wat kan jou dat schelen? Ik weet het niet eens.'
'Ik wil over een tijdje wel mijn rijbewijs halen, maar het lijkt me moeilijk. Maar ja, ik ben dan ook een vrouw.'

'Valt wel mee, hoor,' zegt hij stug en gooit de afgezaagde tak op de grond.
Ze raapt die op en sleept het gevaarte naar de berm. 'Wat een dom werk. Het lijkt wel of jij er lol in hebt.'
'Ik doe gewoon wat me wordt opgedragen.'
'Doe je dat altijd dan? Hadden ze je ook opgedragen om in die auto rond te crossen?'
Hij fronst zijn hoofd. 'Nee, het was een verjaardagscadeautje. Voor mijn zestiende verjaardag mocht ik achter het stuur plaatsnemen.'
'Was het de eerste keer?'
'Wel in de stad en op de snelweg.'
'Wat ging er mis dan?'
'Alles, anders zat ik niet hier.'
'Je praat alsof je een ernstig foute jongen bent. Dat zal toch wel meevallen?'
'Moet je eens met mijn vrienden praten. Die zien me liever vandaag nog doodvallen dan morgen.'
'Je doet alsof je bang voor ze bent.'
Hij schopt een losliggende tak van de grond.
'En? Is dat zo?'
'Zolang ik op grote afstand van ze ben, kunnen ze mij weinig maken.'
'Zo is het. Weet je wat ik van mijn vriend geleerd heb? Je moet de angst omzetten in de aanval. Als ze zweet ruiken, ga je eraan.'
Ilias draait zich om en loopt verder.
De regen maakt die smerige takken spekglad. 'Gadverdamme, wat een troep. Ik ga even naar de wc.'
'Dat mag pas in de pauze,' roept Ilias.
'Ja, het is goed,' roept ze terug en ze sjokt in haar groene vieze natte outfit naar het woonhuis.
Janine zit aan de keukentafel en staat op als ze langskomt. 'En? Wat ga jij doen?'
'Ik heb diarree.'

'Je weet dat je alleen in de pauze naar de wc mag, maar vooruit, ga maar.'
Als ze langs de pillen loopt, staat ze even stil. Het kan haar dag wel een beetje aangenamer maken. Haar handen zijn sneller dan haar gedachten. In de wc-ruimte neemt ze een slok water en ze trekt de wc door.
Janine staat op haar te wachten.
'Gaat het?'
'Ja hoor, maar ik denk dat de kou niet goed is voor mijn darmen en ik heb mijn dikke lievelingssjaal bij de familie Picard laten liggen. Ik wilde jou en Willem nog vragen of we die snel op kunnen halen en dan kan ik Simon ook nog een keer zien.'
Janine kijkt haar aan alsof ze het niet helemaal gelooft.
'Waarom heb je niet eerder verteld van die sjaal?'
'Ik miste hem vandaag pas. Toch hartstikke leuk om nog even bij de hondjes te kijken? Ik weet zeker dat de anderen het ook leuk vinden.'
'Ik zal het met Willem bespreken.'
'Misschien kunnen we dit weekend gaan?'
'Suzie, ik zei dat ik het zal overleggen. Kom op, laat Ilias niet al het werk alleen doen.'
'Nee, natuurlijk niet. Het is heerlijk om hard te werken. We hebben al hartstikke veel gedaan, hoor.'
Ze loopt naar de deur en laat de regen op haar gezicht neerkomen. Het gaat me lukken!
Eigenlijk is het heel grappig. Een grote groene kikker en een levende banaan die samen het pad in de jungle vrijmaken.
'Hé, banaan, hier ben ik weer. Kom maar op met die takken. Ik maak de weg vrij voor ons. Er mag niets meer op ons pad liggen, snap je.'
Ilias trekt een ongelooflijk stom gezicht. Ze lacht en springt een paar keer in een plas.
'Het gaat ons lukken, vriend.'

22

Stephan

Als hij na het eten met zijn cd's het jongerenhuis binnen komt, hangt Suzie op de bank.

'Zo te zien heeft Ilias je aardig afgebeuld,' zegt hij en loopt naar de cd-speler. 'Gelukkig hebben we morgen een rustdag.'

'Ik ben bang van niet,' antwoordt ze.

'Hoezo niet?'

'Morgen moeten we alles geregeld hebben.'

'Hoezo?'

'Omdat we zondag gaan.' Ze vertelt het alsof het de normaalste zaak van de wereld is.

'Deze zondag? Besef je wel dat we dan nog maar één dag hebben?'

'Jezus, man, wie maakt hier de plannen? Weet je het nog? Jij doet precies wat ik zeg, dan komt alles goed.'

Het cd-hoesje valt uit zijn handen.

'Als je zo nerveus loopt te doen, kunnen we er beter mee kappen. Relax, man. Hier, neem een pilletje.' Ze steekt haar dichtgevouwen hand naar voren.

Als hij zijn hand naar haar vuist beweegt, steekt ze haar hand snel in haar broekzak en fluistert: 'Eerst de plannen doornemen, natuurlijk.'

Hij zet een cd op en gaat naast haar zitten.

'Zondag is het markt, waar we volgens mij met zijn allen naartoe gaan. De familie Picard is op de route. Ik heb gevraagd of we dan mijn sjaal, die ik daar achter heb gelaten, kunnen ophalen. Vanavond weet ik definitief of het doorgaat. Ik heb de taken verdeeld. Jij zorgt voor geld, een goed mes en voldoende eten.'

'En jij denkt dat ik dat allemaal in één dag kan regelen?'

'Dat weet ik zeker. Morgen doet Janine de grote inkopen. Zorg dat je meegaat en sla je slag. Verder zorg je dat je geld uit de huishoudpot of uit de beurs van Willem in je bezit krijgt. Meestal laat hij die in zijn jas zitten. Het scherpste keukenmes ligt in de linkerla. Pak dat en haal het geld pas morgenavond uit de portemonnee. Het is volgens mij allemaal goed te doen en ik neem aan dat je eerder zulke klussen hebt gedaan?'
Hij knikt, maar voelt zich absoluut niet op zijn gemak.
'En mijn eigen spullen?' vraagt hij met een stem die verraadt dat hij zenuwachtig is.
'Zo weinig mogelijk, natuurlijk.'
'En waar gaan we dan naartoe?'
'Laat dat nu maar aan mij over, maar geloof me, het is er een stuk aangenamer dan hier.'
'Terug naar Nederland?'
'Uiteindelijk wel. Ik heb genoeg contacten met mensen die in kraakpanden wonen.'
'En Ilias? Wat was je met hem van plan?'
'Hij mag ons een groot stuk op weg helpen, daarna zien we wel weer.'
Dat Suzie totaal geen onzekerheid of angst laat zien, maakt hém juist onzekerder. Ze speelt het keihard en gaat ervan uit dat hij zijn taken correct uitvoert. Als ze zijn zenuwen nu zou kunnen voelen...
'En onthoud goed: angst kun je ruiken, als het moet zullen we voor de aanval kiezen.'
'Maar Ilias zal nooit zomaar meewerken,' probeert hij.
'Wij hebben een mes. Daarnaast kunnen we hem aanklagen vanwege ongewenste seksuele activiteiten, het jatten van geld en desnoods gebruiken we Kim.'
Hij kan haar even niet volgen. 'Volgens mij waren de seksuele activiteiten niet ongewenst, hoor.'
'Volgens haar dagboek wel.'
'Wát?'

‘Oké, genoeg gepraat. Als je nog iets wilt weten, vraag het me nu, want vanaf dit tijdstip mogen we niets verdachts meer doen of zeggen.’
Hij haalt zijn schouders op en stopt het pilletje dat ze hem dit keer wel geeft, in zijn mond.
‘Freedom man,’ lacht ze en ook zij neemt een pilletje.
Zijn hoofd is één grote chaos. Beelden van zijn vrienden, moeder, broertje, Ilias, de angstige oude dame die hij de stuipen op het lijf had gejaagd, wisselen elkaar iedere seconde af.
‘Ilias en Kim nemen het er zeker weer van?’ hoort hij Suzie van een grote afstand lachend zeggen. Haar lach dendert voort in zijn hoofd. Dan verschijnt het lachende gezicht van zijn vader. Een langzame, kille lach. Mijn zoon is een loser, een nul. De lach galmt na in zijn hoofd.
Hij staat op en zet de muziek harder. Suzie schudt haar lijf op het ritme van de beat en lacht naar hem.
Hij heeft de deur niet horen opengaan, maar het is toch echt Janine die in dezelfde ruimte als hij en Suzie staat.
‘De muziek moet zachter, jongens,’ roept ze.
Hij gehoorzaamt haar meteen en gaat voor de zekerheid op de bank zitten en pakt een of ander blad in zijn handen.
‘En Suzie, ik heb met boer Picard afgesproken dat we zondag na de markt even bij hen langsgaan,’ hoort hij Janine zeggen.
‘Oké, maar het heeft geen haast, hoor. Die sjáál zal niet weglopen,’ lacht Suzie.

23

Ilias

Zijn eetlust is verdwenen. Zijn energie, motivatie, vertrouwen, plezier: allemaal weg. Wat overblijft is een klein beetje hoop als hij aan Kim denkt. Zij vindt hem de moeite waard. Zij ís de moeite waard. Maar het weegt op dit moment niet op tegen de angst. Zelfs op de vraag hoe Suzie aan de informatie is gekomen over zijn verleden, interesseert hem op dit moment geen bal.
Kim had hem na het avondeten gevraagd of hij zin had om later nog een spelletje backgammon te spelen. Hij had geknikt, maar meteen eraan toegevoegd dat hij eerst even wilde rusten. Dat even is inmiddels twee uur. Beloften niet nakomen, is niets voor hem.
Hij staat op, loopt naar de spiegel, smeert een klodder gel in zijn haren en gooit een handje water in zijn gezicht.
Kim zit aan de keukentafel te schrijven en kijkt hem vriendelijk aan als hij naast haar gaat zitten.
'Sorry dat ik zo laat ben. Ik voel me niet zo lekker,' zegt hij.
'Maakt niet uit. Ik heb een kaartje aan mijn familie geschreven. Je gelooft het niet, maar ik heb na het telefoongesprek met mijn moeder een belangrijke beslissing genomen.
'En die is?' wil hij weten.
'Dat ik ervoor kies voorlopig geen contact met ze te hebben. Pas als ik het wil, neem ik contact met ze op.'
Ze kijkt hem trots aan en hij voelt haar power. 'Helemaal goed Kim, helemaal goed.'
'Ilias, wat is er? Je bent zo stil. Er is iets, dat voel ik en ik maak me zorgen om je.'
Hij legt zijn hoofd in zijn handen en schudt het heen en weer.
'Was ik maar zo sterk als jij bent.'

'Hallo, jij bent hartstikke sterk. Wat is er?'
'Het is zo gecompliceerd allemaal.'
'Vertel het me, Ilias.'
'Ik krijg dreigbrieven uit Nederland.'
Ze kijkt hem heel serieus aan en legt een hand op zijn schouder.
'Dreigbrieven?'
'Ze hebben een pistool opgestuurd met het verzoek of ik mezelf door mijn kop wil schieten en daarna hebben ze gedreigd mijn broertje en zus iets aan te doen.'
Het blijft even stil. Dan hoort hij haar zuchten. 'Een pistool, en niemand weet hiervan?'
'Nee, ze dreigen actie te ondernemen als ik de leiding of de politie waarschuw.'
Aan het gezicht van Kim kan hij zien dat zij erg geschrokken is.
'Wat afschuwelijk. Weet je wel wie de brieven stuurt? En dat pistool, waar is dat nu? Hoe kan het dat Willem of Janine dat niet ontdekt hebben?'
'Ik heb zelf de post uit de brievenbus gehaald. Het komt van mijn zogenaamde vrienden, die ik verraden heb.'
'Waar is dat ding? Dit is niet normaal, Ilias, je moet iets doen.'
'Ik weet het niet, Kim. Zolang ik niet bij mijn familie in de buurt ben, is het risico veel te groot dat ze mijn broertje of zus pakken. Straks sturen ze een vinger op in plaats van haren.'
Hij voelt de hand van Kim over zijn rug bewegen.
'Hebben ze echt haren...?'
Hij legt zijn hoofd weer in zijn handen, die nat worden van de tranen.
'Shit, Ilias, waar heb je die brieven en het pistool?'
'In de boomhut,' fluistert hij.
'Mag ik ze zien?'
Hij haalt zijn schouders op.
'We kunnen elkaar helpen. Er is vast een manier om die klootzakken aan te pakken.'
'Zweer dat je niets aan de anderen vertelt.'

'Goed, ik zweer het.'
Hij staat op, haalt zijn neus op en veegt met zijn mouw zijn tranen weg. Als hij in Kims ogen kijkt, is er wel een sprankje hoop, maar het kan zijn tranen niet tegenhouden.
'Kom, dan gaan we naar buiten,' zegt ze en ze pakt hun jassen.
Op hetzelfde moment komen Suzie en Stephan gierend de keuken binnen. Als ze zijn gezicht zien, staan ze stil en proberen ze hun lach in te houden.
'Heeft Kim het uitgemaakt?' vraagt Stephan op een misselijke, slijmerige manier.
Het is moeilijk niet te reageren, maar als Kim hem stilzwijgend naar buiten wenkt, loopt hij naar de deur.
Stephan komt tegenover hem staan en fluistert: 'Voordat jullie weer tussen de geiten gaan liggen rommelen, heb ik nog een vraagje. Wat heb je ervoor over als ik mijn mond houd over die actie van jou met het geld?'
Hij voelt het bloed uit zijn hoofd wegtrekken en grijpt naar de dichtstbijzijnde stoel. Hij wankelt.
'En?'
Hij wil naar buiten. Frisse lucht. Als hij een stap naar voren gaat, is het duidelijk dat Stephan niet opzij gaat.
'Ik wil erlangs,' roept hij.
'Als je het vriendelijk vraagt en me antwoord geeft. Wacht niet te lang, anders geef ík je vriendinnetje wel even een beurt.'
'Schoft,' roept hij naar Stephan, zet een stap naar achter en kijkt hem recht in de ogen. Zijn rechterhand verandert langzaam in een harde vuist. De hand beweegt zich in een fractie van een seconde naar achter en belandt daarna vol in de maag van Stephan. Zijn kromgebogen overbuurman vloekt: 'Godver... vuile verrader.'
Hij voelt dat Kim aan zijn mouw trekt en hij laat zich door haar naar buiten leiden.
'Kom, laat hem. Hij is het niet waard,' zegt ze en ze trekt hem mee.

Halverwege het pad staat hij stil. ‘Laat me maar even alleen, Kim.’
Ze laat hem los en blijft staan.
Hij durft haar niet meer aan te kijken en loopt met grote passen het pad af.

24

Kim

Als ze vanuit haar slaapkamerraam naar buiten kijkt, ziet ze Ilias in de verte naar de rand van het bos lopen. Shit, wat kan ze doen? Willem en Janine zijn de enigen die op dit moment iets kunnen ondernemen, maar ze heeft Ilias gezworen niets te zeggen. En het pistool? Straks schiet hij Stephan nog door zijn kop!
Toch begrijpt ze Ilias wel. Hoe lang had ze zelf haar mond gehouden omdat ze zo bang was geweest anderen pijn te doen? De dreigementen van haar vader hadden haar toch ook de mond gesnoerd? Hoe vaak had ze niet op het punt gestaan haar mentor in te lichten? Het uit te schreeuwen naar de hele wereld?
Anderhalf jaar lang had ze er met niemand over gepraat en als haar moeder haar niet voor het blok had gezet, had ze waarschijnlijk voor eeuwig haar mond gehouden.
Het was op een woensdag, tijdens het avondeten. Haar vader en Ronnie waren niet thuis geweest.
De verwijten die haar moeder toen naar haar hoofd had geslingerd, zal ze nooit meer vergeten. Het feit dat haar moeder van niets wist, verandert daar niets aan.
Kim, jij verpest hier de sfeer. Door jouw gedrag maak je het iedereen moeilijk. Je bent ondankbaar en hebt volgens mij geen enkele reden om zo te handelen. Als je die wel hebt, kun je het nu zeggen.
Het was nooit haar bedoeling geweest te schreeuwen tegen haar moeder, maar achter de woorden die toen uit haar mond waren gekomen, zat alle verdriet en haat van de afgelopen tijd verscholen.
Toch was het ook toen niet moeilijk geweest Ronnie er buiten te houden. Bij de mededeling dat haar vader haar misbruikt had,

was het gezicht van haar moeder asgrauw geworden. Nog meer onthullingen had ze misschien niet overleefd.
De tijd daarna was een hel geweest. De huisarts had haar moeder volgestopt met medicijnen, haar vader was voor verhoor door de politie opgehaald en haar broer was het huis ontvlucht. Zelf had ze weken gehuild en later gesprekken met de psycholoog gevoerd. Ook toen was Ronnie buiten schot gebleven.
Misschien moet ze Ilias ook voor het blok zetten?
Er wordt op de deur geklopt en Suzies gestamp maakt een einde aan de film in haar hoofd.
'Dat vriendje van jou vraagt op deze manier wel om problemen,' zegt Suzie op een arrogante manier.
Ze reageert niet en probeert nog een glimp van Ilias op te vangen, maar hij is verdwenen.
'Wat een driftkikker. Als Stephan het meldt, is Ilias echt goed nat. Je hoeft niet bang te zijn, ik heb hem overgehaald niets te zeggen.' Suzie verwacht zeker dat ze zich nu omdraait en haar dankbetuiging uitspreekt.
'Let jij ook maar op. Waarschijnlijk kan hij bij jou ook zijn handjes niet thuishouden.'
Ze wil zich niet omdraaien, maar haar lijf luistert niet. Als ze bijna bij de deur is, houdt Suzie haar tegen en fluistert: 'Maar daar weet jij wel raad mee, toch?'
Even twijfelt ze of de zin echt uit Suzies mond kwam, maar wanneer ze het gemene lachje van Suzie ziet, weet ze het zeker.
'Wat bedoel je?' vraagt ze met een hese stem.
'Dat jij wel weet hoe het is als iemand zijn handjes niet thuis kan houden.'
Ze kan niet geloven wat ze hoort. Hoe kan zij iets weten? Wat weet ze?
Als ze het wil vragen, blijven de woorden in haar keel steken. Suzie kijkt haar vragend aan.
Haar nachtkastje staat open. Shit, ze had haar dagboek niet op slot gedaan.

‘Vuile, gemene trut. Je hebt... Hoe durf je...’ Ze loopt naar Suzie en is van plan haar ontzettend hard in haar gezicht te slaan. Suzie loopt een paar passen achteruit, maar gaat dan plotseling kaarsrecht staan en duwt haar met beide handen terug.
‘Ho, ho, wat denk je wel? Ik laat me niet zomaar vals beschuldigen.’
‘Ik weet zeker dat je in mijn dagboek hebt gelezen. Hoe weet je anders...? Wat ben jij voor mens?’
Suzie trekt een gezicht alsof ze er totaal niets van begrijpt en gaat op haar bed zitten. ‘Waarom zou ik in godsnaam in jouw dagboek lezen?’
Het heeft geen zin. Zo meteen komen de tranen. Ze kan toch niets bewijzen.
Ze pakt haar dagboek en loopt naar Suzie. ‘Waarom doe je dit? Heb ik iets verkeerd gedaan? Wat is het?’
Suzie haalt haar schouders op en zegt uiterst rustig: ‘Weet je wat jouw probleem is? Jij wantrouwt mensen en strooit valse beschuldigingen rond. Dan heb je wel heel veel problemen waar je aan moet werken.’
Wat ze voelt is niet te beschrijven, maar reageren lukt niet meer. Langzaam loopt ze de kamer uit en pas op de gang komen de tranen. Janine moet dit weten. Maar eerst Ilias zoeken.

Het is koud en akelig stil. Ze weet ongeveer waar de boomhut is, maar in het donker zal het niet meevallen hem te vinden.
Als ze bij de rand van het bos is, wordt ze pas echt bang. Wat als Ilias helemaal doordraait?
Nee, ze moet hem helpen.
‘Ilias... Ilias...’
Nog geen tien meter verder hoort ze gerommel en ontdekt ze hem tussen de bewegende takken.
‘Ilias, ga je mee terug naar de boerderij?’
Hij antwoordt niet, maar ze ziet hem naar beneden klimmen.
Als hij naast haar staat, pakt ze zijn handen beet. ‘Ilias, ik heb je

beloofd niets te zeggen, maar ik denk echt dat Willem en Janine je kunnen helpen. Als je niets doet, zullen die lui in Nederland doorgaan, net zo lang totdat jij een keer in de fout gaat en dan hebben ze hun zin.'

Ze kan zijn ogen niet goed zien, maar voelt dat hij stevig in haar handen knijpt. 'Je hebt gelijk, maar ik ben zo bang dat ze mijn familie iets aandoen.' Zijn angst is voelbaar.

'Als je niets doet, maak je jezelf knettergek, Ilias. Willem en Janine zullen het begrijpen.'

Hij laat één van haar handen los. De andere hand blijft waar hij was. Samen lopen ze terug en ze realiseert zich dat het eeuwen geleden is dat ze zich zo sterk met iemand verbonden voelde.

25

Suzie

Vanaf vijf uur vanmorgen had ze iedere tien minuten op haar wekker gekeken. Het gedrag van Stephan zit haar niet lekker. Straks verpest die sukkel alles.
Kim slaapt nog. Voor haar hoeft ze niet bang te zijn. Ook al zou ze de dagboekstory aan Janine hebben verteld; bewijzen kan ze niets. Ze kunnen van stalen Suzie zeggen wat ze willen, maar kom maar eens met harde bewijzen.
Het was de politie in Nederland ook niet gelukt.
Mirsad en zij hadden met een stalen gezicht volgehouden dat ze absoluut niet met voorbedachten rade naar de schuur waren gegaan. Dat het allemaal Paco's plotselinge idee was geweest. Het was hun natuurlijk wel goed uitgekomen dat Paco dat grietje die avond in een disco had versierd en haar had gevraagd mee te gaan. Toen de politie er ook nog achter was gekomen dat het fototoestel van Paco was, werd hun verhaal een stuk geloofwaardiger. Beetje beter nadenken in het leven, jongen.
Autosleutel, telefoon, pillen, adresboekje, water, toiletspullen.
Als Stephan maar niet te veel of te opvallend spullen uit de winkel jat en vooral zijn kop houdt over het gevecht met Ilias.
Het is waarschijnlijk het minst opvallend als Stephan aan Janine vraagt of hij met haar mee mag om ansichtkaarten te kopen. Het mes is geen probleem, en ze kan zelf vandaag goed rondkijken waar hij het best het geld vandaan kan halen.
Zelf moet ze zich vandaag zo onopvallend mogelijk gedragen. Als ze nu eens een cake bakt voor Simon? Dan zal er voor de anderen niets anders opzitten dan te geloven in haar goede bedoelingen.

En Jon vandaag nog een keer bellen.
Als ze Kim zo ziet liggen, is het bijna niet voor te stellen dat zij het met een volwassen man heeft gedaan. En niet één keer! Gadver, ze moet er niet aan denken.
Nee, dan is een vader die van de ene op de ander dag verdwijnt een stuk beter.
Hij zal haar plotselinge vertrek dus ook wel begrijpen. Haar vader had kort na het verlaten van zijn gezin in een telefoongesprek uitgelegd dat het beter is je spullen te pakken als je geen perspectief meer ziet en het idee hebt dat het ergens anders beter is. Zo is het, ouwe. Dank je voor de wijze les.
Ze duwt voorzichtig haar dekbed weg, trekt haar badjas aan, pakt de schone kleren die ze heeft klaargelegd en loopt op haar tenen de kamer uit.
Shit, ze hoort geluiden beneden.
Janine is ijverig bezig met het verzamelen van de lege flessen, maar stopt als ze haar ziet.
'Goedemorgen, Suzie. Ik wil graag even met je praten.'
'Kan ik eerst even douchen?'
'Nee, dat kan later ook. Ga even zitten.'
Dit voelt niet goed. Als ze zit, kijkt ze in het akelig strenge gezicht van Janine.
'Is het waar dat jij in het dagboek van Kim hebt gelezen?'
'Wat is die Kim toch een trut. Waarom wil ze mij van iets beschuldigen wat ik niet gedaan heb?'
'Dat vraag ik me ook af, als je het tenminste echt niet gedaan hebt.'
'Ik hoef dit niet te pikken. Die Kim is gestoord. Natuurlijk heb ik het niet gedaan. Zij wil mensen gewoon een oor aannaaien. Je moet háár op het matje roepen. Niet mij.'
'Wil je je een beetje inhouden? Als je het niet gedaan hebt, waarom word je dan meteen zo agressief? En hoe verklaar jij dat je dingen tegen Kim hebt gezegd die je alleen maar uit haar dagboek kunt weten?'

'Ik weet niet wat Kim heeft verteld, maar ik zweer het je: ik heb niet in haar dagboek gelezen. Mag ik nu gaan douchen?'
'Suzie, als blijkt dat je liegt, ben je hier niet lang meer.'
'Oké,' antwoordt ze keurig en ze staat op. Janine draait zich om en loopt naar het aanrecht.
Als ze onder de douche staat, komt de rust weer terug in haar lijf. Een zaklamp, die hebben we ook nodig. In de schuur hangen er twee aan de muur. En touw, nee tape. Waar kan ik dat vinden?
Als ze haar haren uitgebreid heeft gewassen, droogt ze zich zorgvuldig af. Als je op reis gaat, moet je er pico bello uitzien.
In de keuken zit Janine dit keer met Stephan te praten. Hij zal toch niet over Ilias...?
'Goed, dan moet je over een uur klaar zijn,' hoort ze Janine zeggen. Stephan draait zich om en de knipoog die hij haar geeft, is voldoende.
'Kan ik vandaag jouw mp3-speler lenen?' vraagt ze hem vriendelijk.
'Ja, hoor, loop maar even mee, hij ligt in het jongerenhok.'
Die Stephan begint het te snappen.
Ze lopen samen de keuken uit en hij slaat met zijn vuist tegen haar bovenarm. 'Het loopt gesmeerd. Over een paar uur heb ik een voorraadje eten, geld en een mes voor je,' zegt hij trots.
'Stephan, ik wil dat je heel voorzichtig te werk gaat. Neem niet te veel mee. Trek een jas aan waar je veel in kwijt kunt. Ik zal vanavond zeggen waar je het geld kunt pakken. Ik verwacht dat je het allemaal heel serieus aanpakt.'
Hij kijkt haar een beetje geïrriteerd aan. 'Wat denk je? Mijn broer is verstandelijk gehandicapt. Ik niet.'
Ze stompt hem ook een keer tegen zijn arm. 'Oké, man, we gaan ervoor.'

26

Stephan

Met het boodschappenlijstje van Janine in zijn hand loopt hij richting zuivelafdeling van de megasupermarché. Janine is voorlopig nog niet klaar op de groente- en fruitafdeling.
Bij het binnenkomen van de winkel heeft hij zorgvuldig gekeken of er een alarminstallatie aanwezig is. Hij is er voor negenennegentig procent zeker van dat de winkel bij de uitgang niet beveiligd is. Waarschijnlijk zijn er camera's in de winkel zelf, dus opletten.
6 pakjes bakboter, 6 liter melk, 3 plastic emmertjes yoghurt, staat op het lijstje.
Hij moet eerst op zoek naar chocolade en koeken. Sigaretten wordt een probleem. Hopelijk lukt het Suzie de ingeleverde pakjes terug te halen, maar dat is wel erg riskant.
Hij duwt zijn lege kar langs de schappen met koek en snoep. Naast hem staat een oudere man. Niemand voor of achter hem. Hij checkt het plafond. Geen camera's.
Als hij slechts enkele centimeters van het schap staat, bukt hij zich. Als hij weer overeind komt, zitten de pakken chocoladekoek al in zijn jaszak.
Langzaam loopt hij verder. Bij de chocoladerepen staat hij stil en pakt er vier in zijn linkerhand. Er komt een meisje naast hem staan. Hij leest de onmogelijke tekst op de verpakking. Als het meisje verder loopt, glijden de repen bij de pakken koeken. De zak drop is a piece of cake. Zo relaxed mogelijk loopt hij verder, op zoek naar de zuivelafdeling.
Waar staat dat spul? Hij loopt een paar keer heen en weer. Als Janine zijn naam roept, schrikt hij.

'Je hebt nog helemaal niets in je kar.'
'Nee, dat zie ik ook,' antwoordt hij geïrriteerd.
'Kom op, dan help ik je even. Kijk, hier staat melk en een stukje verderop vind je boter en yoghurt.'
Hij loopt zuchtend achter haar aan.
Als het lijstje is afgewerkt en de kar tjokvol is, sluiten ze aan in de rij bij de kassa. Als hij de ansichtkaarten ziet, pakt hij er ongezien vier uit het rek.
'Mogen deze erbij?'
'Goed, pak jij de spullen in, dan reken ik even af,' hoort hij haar zeggen.
Voor de zekerheid checkt hij nog een keer de omgeving van de buitendeuren. Niets.
Met de volle tassen in de kar rijdt hij achter Janine aan naar de deur. Zijn benen worden zwaarder. Als hij bewust zijn linkervoet met een grote stap over de drempel zet, gebeurt er niets. Dan zijn lijf. Niets. Hij ademt heel diep in en duwt zijn lijf naar voren... niets!
'Ik laad de boodschappen wel in de auto,' zegt hij nogal blij.

Als ze met hun handen vol de keuken binnen lopen, komt een heerlijke geur hem tegemoet.
Suzie toont vol trots een cake.
'Zo, jij hebt niet stilgezeten,' zegt Janine.
'En is het bij jullie ook allemaal gelukt?' vraagt Suzie.
'Ja, hoor. We hebben alles,' zegt hij, met de nadruk op 'alles'.
'Willem en de anderen zijn nog even bij de poesjes. Klein grijsje moet waarschijnlijk bijgevoerd worden,' zegt Suzie serieus.
'Dan ga ik ook even kijken. Ruimen jullie samen de boodschappen op?'
Hij knikt en begint gelijk uit te pakken.
Als Janine is verdwenen, haalt Suzie een pak shag uit haar broek.
'En wat heb jij?'
'Dat laat ik je zo meteen boven zien. Eerst de boodschappen opruimen.'

'Nee, ik wil eerst alles nog een keer doornemen. Waar is het eten?'
'In mijn jas.'
'Stephan, de portemonnee van Willem zit niet in zijn jas.'
'Shit, wat nu? Wacht. Janine heeft volgens mij haar portemonnee in de auto laten liggen.'
'Snel dan. Nu.' Ze kijkt hem dwingend aan.
'Ja, hallo, dat is veel te riskant.'
'Nu. Ik heb de leiding, weet je nog?'
Hij voelt niet veel voor het plan, maar loopt naar buiten. De auto staat achter de boerderij. Vanuit de schuur kunnen ze hem niet zien.
Voorzichtig probeert hij het bestuurdersportier. Niet op slot. De portemonnee zit inderdaad in het zijvakje. Hij voelt zich enorm opgefokt, maar kan niet meer terug.
In een paar seconden heeft hij de creditkaart te pakken en ligt de portemonnee weer op zijn plaats.
Suzie staat gespannen te wachten in de keuken.
'En?'
Hij knikt en laat haar de creditkaart zien.
'Leg hem boven, onder het matras van Ilias,' gebiedt ze hem.
Hij staart een paar seconden naar haar strakke gezicht.
'Schiet op. Ik ruim het hier op en zorg dat je de etenswaren goed verbergt. Hier, neem dit ook mee en wikkel het in een T-shirt of zo.' Ze pakt een groot mes uit de keukenla en duwt het in zijn handen.
Als hij het aanneemt, gaat er even een rilling door zijn lijf. Het mes verdwijnt ook in zijn jas en hij rent de trap op.
Als de creditkaart en het mes op de afgesproken plek liggen, laat hij zich op zijn bed vallen.
De angst in zijn lijf maakt hem enorm onrustig.
Wat als het misgaat? Wat als zijn moeder te horen krijgt dat hij ontsnapt is?

27

Suzie

Als ze voor de zoveelste keer een rondje door de slaapkamer loopt, vraagt Kim: 'Waar ben jij mee bezig? Ben je iets kwijt?'
'Nee, hoor, ik doe ochtendgymnastiek,' antwoordt ze.
Het geeft haar een goed gevoel dat dit haar laatste dag in dit strafkamp is, maar ze is zenuwachtiger dan ze had verwacht. Ze dwingt zichzelf alles nog een keer goed door te nemen.
Shit, vergeten haar mobieltje op te laden. Waar kan ze dat doen? Wachten totdat Kim zich heeft aangekleed en naar beneden gaat.
'Hoe laat gaan we precies naar de markt?' vraagt ze.
'Tien uur,' is het antwoord van Kim, die gelukkig op het punt staat met een volle wasmand naar beneden te lopen.
'Ik wil nog een briefje aan mijn moeder schrijven, dus ik kom zo meteen,' roept ze Kim na.
Fuck, ze moet rustig blijven. Mobieltje opladen, de tape die ze gisteren in de schuur had gevonden in haar tas doen, warme kleren aantrekken, telefoonnummer van Jon in haar mobieltje zetten. Als Stephan maar niets vergeet.
Ze loopt naar het stopcontact om haar mobieltje op te laden. Ze legt haar rode trui op de telefoon en de oplader.
Nog één blik in de kast werpen. Wel shit van de kleren die ze moet achterlaten. Misschien wil Kim ze hebben. Zie je wel dat ze ook aardig kan zijn.
Met zorg stopt ze de fles water die ze gisterenavond mee naar boven heeft genomen, het pak shag, de aansteker, de tape en een extra onderbroek in haar tas. Ze voelt zich gejaagd. Het mag niet mislukken, want dan heeft ze echt een probleem.

Het is beter om naar beneden te gaan en te kijken of Stephan alles volgens afspraak heeft gedaan.
In de keuken is het rustig. Kim is bezig met de koffie en thee. Stephan bekijkt zijn cd's. Hij is toch niet van plan muziek mee te nemen?
Stephan komt meteen naar haar toe en fluistert: 'Ilias is ziek.'
'Wat?' Nee, dit mag niet waar zijn. 'Wat heeft hij?'
'Ik weet het niet. Ik heb het van Kim gehoord.'
Ze loopt naar het aanrecht. 'Kim, wat is er met Ilias?'
Kim draait zich langzaam om. 'Ik zet een kopje thee voor hem,' is alles wat uit haar mond komt.
'Wat heeft hij?'
'Ik weet het niet. Janine vertelde dat hij in bed moet blijven.'
Nee, nee, nee. Wat nu? En de creditkaart? Shit.
'Gaat hij niet mee naar de markt?'
'Wat ben je ineens bezorgd. Hoe kan ik dat weten?' antwoordt Kim.
Ze loopt naar Stephan en vraagt hem met wanhoop in haar stem: 'Wat nu?'
Kim draait zich om en kijkt hen beiden vragend aan. 'Hoezo, wat bedoel je?' vraagt ze.
'Niets,' antwoordt Stephan.
'Rustig blijven Suzie,' bijt hij haar toe en trekt haar mee naar de bank.
Kim blijft hen beiden vragend aankijken, maar zegt niets meer.
Willem en Janine komen vrolijk binnen. 'Jongens, we hebben een verrassing voor jullie. Vandaag gaan we een van de jonge hondjes van de familie Picard ophalen. We lopen al een tijdje met het plan in ons hoofd om nog een hondje in huis te nemen en ze zijn zo schattig,' zegt Janine.
'Maar als Ilias niet mee kan, wie blijft er dan bij hem?' vraagt Kim.
Ze kijken allemaal naar haar bezorgde gezicht.
'Ik ga even bij hem kijken,' zegt Willem en hij loopt meteen de keuken uit.

Laat het meevallen, please, laat het meevallen, zijn de woorden die ze honderd keer tegen zichzelf zegt.
Het duurt een eeuwigheid voordat Willem terug is. 'Ilias probeert het. Hij wil zo graag meegaan om het hondje op te halen, maar hij hoest wel heel lelijk.'
Hoest lelijk, wat kan haar dat schelen. Hij moet mee, hij moet.
'Kom, we gaan eten. Ik smeer een paar boterhammen voor Ilias. Hij wil eerst nog even onder de douche,' zegt Willem.
Ze zou goed moeten eten. Een stevige basis voor de reis, maar het lukt haar niet. Haar darmen hebben ook door dat het geen normale dag is.
De rest eet rustig door.
Na een kwartier opent Ilias de deur. Hij ziet er inderdaad beroerd uit.
'Hallo, jongen. Gaat het?' vraagt Janine.
Ilias haalt zijn schouders op. 'Ik heb het koud.'
'We blijven niet lang weg, dan kun je straks lekker in je bed. Ik heb een paar boterhammen voor je gesmeerd, maar die kun je ook later opeten,' zegt Willem.
Weer knikt Ilias en hij gaat bij de kachel staan.
Straks in je bed, dacht het niet, denkt ze.
'Goed jongens, over een halfuurtje gaan we. Suzie, ik denk dat je de cake het best in de vorm kunt laten zitten. Ik wil nog even bij de geiten kijken,' zegt Janine en ze loopt naar de buitendeur.
Stephan staat ook op en vraagt aan Willem: 'Vind je het goed als ik nog even naar mijn kamer ga?'
'Ja, dat is goed. Jullie hebben allemaal nog een halfuur voor jezelf. Ik ruim vandaag de tafel af.'
Snel pakt ze de cake van het aanrecht en ze loopt achter Stephan aan de trap op.
'Shit, shit, waarom moet hij nu juist vandaag ziek worden?' sist ze naar Stephan.
Hij draait zich om. 'Het belangrijkste is dat hij wel meegaat. Ik moet eerst de creditkaart pakken.'

Samen lopen ze naar de kamer van Stephan.
'Snel, ik let wel even op,' fluistert ze.
Stephan glipt naar binnen en staat na enkele seconden al weer voor haar neus. 'Geregeld. Het komt goed, als we rustig blijven,' zegt hij.
'Ik moet nog even mijn mobieltje in mijn tas doen, maar daarna ben ik klaar. Ik heb zo'n zin in een sigaret. Ga je mee nog even bij klein grijsje kijken? Zij is de enige die ik zal gaan missen.'

28

Ilias

De pijnstillers hebben wel effect op zijn hoofdpijn, maar niet op de pijn in zijn borst. Bij iedere ademhaling voelt hij een steek.
Zal hij toch maar hier blijven? Wel sneu voor Kim. En dan mist hij het uitkiezen van de hond. Als het echt niet gaat, kan hij vanmiddag en morgen de hele dag in bed blijven.
Hij trekt een extra dikke trui aan en loopt naar de keuken. Kim komt naar hem toe zodra ze hem ziet.
'Gaat het? Heb je koorts? Misschien moet je je dikke sjaal omdoen,' zegt ze bezorgd.
'Ik kan je toch niet alleen laten,' antwoordt hij en het lukt hem om even te glimlachen.
Als Suzie en Stephan binnenkomen, ruikt hij dat ze gerookt hebben.
Janine en Willem komen druk pratend binnen.
'Heeft iedereen zijn spullen? Suzie, heb je de cake? Kleed je allemaal goed aan, het is koud. Kim, neem jij de boodschappentassen mee?' Terwijl Janine de laatste zin uitspreekt, voelt ze met haar hand op zijn voorhoofd. 'Ik weet het niet, Ilias, we zullen straks even je temperatuur opnemen.'
'Suzie, moet ik je helpen dragen? Wat ben jij allemaal van plan met die rugzak?' hoort hij Willem vragen.
Suzie heeft zo te zien haast. Zonder te antwoorden loopt ze met de cake in haar handen naar de auto. Het lijkt wel alsof Stephan aan Suzie zit vastgekleefd. Hij loopt nog geen tien centimeter van haar vandaan.
Gelukkig is de plaatsindeling in de auto geen probleem. Suzie zit al naast Stephan. Daarachter is dus plaats voor Kim en voor hem.

In de winter is de markt een stuk saaier dan in de zomer. Geen terrasjes en veel minder kraampjes. De geur van gepofte kastanjes maakt hem nog misselijker. Willem en Kim laten zich door de jonge Franse kastanjeverkoper verleiden en nemen ieder een portie.
Janine houdt zoals altijd een praatje met de kaasboer. Na het proeven van drieënveertig verschillende soorten kaas koopt ze drie zweterige brokken. Ook het zoeken van gepast geld lijkt een eeuwigheid te duren. Dan draait ze zich om.
'Ik mis mijn creditkaart.'
Niemand reageert.
'Godver, ik weet zeker dat hij in mijn portemonnee zat.'
De kaasboer kijkt Janine vragend aan en heft beide handen omhoog.
Willem duwt zijn bakje met kastanjes in Kims handen en loopt naar Janine toe. Hij kijkt eerst haar aan, werpt dan een blik in de portemonnee en draait zich langzaam om.
'Weet iemand hier meer van?' vraagt hij op een akelig zakelijke toon.
'Natuurlijk niet,' antwoordt Suzie geïrriteerd.
Stephan en Kim schudden alleen hun hoofd.
'Ilias?' hoort hij Willem vragen.
Het zweet breekt hem uit. Zijn hoofd voelt zo raar. Alles om hem heen draait.
Als ik me nu niet vasthoud, val ik, is het enige wat hij denkt. Het speeksel loopt in zijn mond. Het wordt zwart voor zijn ogen.
'Ik... ik...'
Daarna voelt hij armen om zijn middel. Langzaam glijden zijn voeten naar voren.
Gelukkig zijn er nog altijd de armen die zijn lijf weer overeind trekken.
'Kom, jongen, we gaan even zitten,' hoort hij Willem zeggen. Er wordt iets kouds op zijn voorhoofd gelegd.
'Ilias, gaat het?' Hij herkent de stem van Kim.

Als hij zijn ogen opendoet, zit ze op haar knieën tegenover hem. Janine praat met Stephan en Suzie. Willem geeft de kaasboer een hand en loopt in hun richting.
Janine draait zich om en zegt: 'Kom, het heeft geen zin om hier te blijven zitten. Voordat ik aangifte ga doen, wil ik straks met jullie apart praten. Als Ilias zich weer wat beter voelt, gaan we eerst bij de familie Picard de cake afleveren en het hondje ophalen.'
Als hij opstaat, bonkt zijn hoofd, maar de duizeligheid lijkt grotendeels te zijn verdwenen.
'Ja, het gaat,' antwoordt hij en hij loopt achter Kim aan naar de auto.

Dit keer is er geen persoonlijke ontvangst van Simon.
Stephan en Suzie stappen als eerste uit de auto.
Kim blijft zitten en pakt hem even beet. 'Lukt het?' vraagt ze.
Hij voelt zich beroerd, maar haar bezorgdheid verlicht wel een beetje.
'Ja, hoor, het gaat best.'
Ze wacht totdat hij ook is uitgestapt en samen lopen ze achter de anderen aan naar de boerderij.
De familie Picard zit aan de keukentafel. Zodra Simon hen ziet, loopt hij opgewonden minstens tien keer heen en weer door de keuken en brabbelt hij daarbij onverstaanbare klanken.
De cake wordt met veel complimenten in ontvangst genomen en door mevrouw Picard zorgvuldig in stukken gesneden.
Simon heeft zijn stoel naast die van Suzie geschoven. Als hij lacht, vliegen er stukjes cake uit zijn mond op de tafel. Het is maar goed dat hij zo uitgelaten is, want de anderen zijn opvallend rustig. Dat hij zelf geen cake neemt, is nog wel te begrijpen, maar dat zowel Suzie als Stephan hun stuk afslaan is vreemd.
Als Simon zijn cake op heeft, springt hij plotseling van zijn stoel en grijpt hij Suzies hand. Ze wordt door hem overeind getrokken en hij maakt met zijn hand rondjes rondom zijn nek.
Suzie trekt een verschrikt gezicht.

'Volgens mij wil hij je sjaal teruggeven,' zegt Janine lachend.
'Oh, ik schrik me dood. Wat lief van hem, maar mogen wij dan meteen even bij de jonge hondjes kijken?'
Janine overlegt met de familie Picard. Het is duidelijk dat er geen bezwaar is.
Dan die blik van Suzie. Het is eerder bedreigend dan vragend.
'Ilias en Kim, jullie lopen ook niet over van enthousiasme,' roept ze.
'Gaan jullie allemaal maar even kijken. Ik drink eerst mijn koffie op. En geen ruzie maken bij het uitkiezen,' zegt Willem.
Suzie en Stephan staan op.
Ik wil niet weer de kou in. Ze zoeken maar een hondje uit, mij best, denkt hij.
'Kom je, Ilias?' vraagt Kim en ze kijkt hem smekend aan.
Niet weer de kou in, is het enige wat hij kan denken.
Als Suzie haar rugtas oppakt, loopt Stephan een paar stappen terug om die van hem ook mee te nemen.
Als Kim zijn hand even streelt en hem smekend aankijkt, staat hij met tegenzin op. Voor Kim dan maar.
Simon en Suzie hollen naar de schuur. Stephan draait zich om en zegt: 'Laat ze maar even, kan die Simon ook een keer genieten.'
'Wat denk je, man, dat ik hier in de kou blijf staan, terwijl ik me beroerd voel?' roept hij naar Stephan en samen met Kim loopt hij regelrecht naar de schuur.

29

Kim

Het is duidelijk dat Stephan hen voor wil blijven.
Ze pakt de hand van Ilias stevig beet.
'Ze zijn iets van plan, Ilias.'
Hij knikt alleen maar en loopt met grote passen naar de schuur.
De schuurdeur staat open. Als ze samen met Ilias naar binnen gaat, komt Stephan wijdbeens voor hen staan en kijkt hen één voor één dreigend aan.
'Waar zijn Suzie en Simon?' snauwt ze.
Stephan zegt niets, maar zet twee stappen naar voren en slaat onverwachts snel zijn rechterarm om de rug van Ilias en met zijn linkerhand grijpt hij in zijn nek. Ilias draait een halve slag en strompelt naar achter.
Uit haar mond komt een gil. Ze maakt schoppende en slaande bewegingen naar Stephan, maar raakt hem niet.
Als Stephan Ilias met zijn rug hardhandig tegen de deur van de auto duwt, ziet ze in een flits Suzie met Simon op de achterbank zitten.
Ilias probeert zich te bewegen, maar als Stephan zijn knie in het kruis van Ilias zet, krimpt die ineen.
Moet ze terugrennen? Shit, wat is dit? Wat zijn ze in godsnaam van plan? Nee, Ilias... ze kan hem niet alleen laten.
'Hé, klootzak, doe normaal, wat is dit? Laat Ilias los,' gilt ze.
Het voorportier van de auto wordt van binnenuit opengemaakt en Stephan duwt Ilias op de bestuurdersstoel. Ilias slaat om zich heen, maar dat duurt niet langer dan een paar seconden. Stephan is veel sterker. Terwijl hij beide armen van Ilias vast heeft, laat hij zich op een lompe manier op Ilias vallen, wringt zich langs het

stuur en schuift op de stoel ernaast. Nog altijd heeft hij Ilias stevig in zijn greep. Pas dan ziet ze dat Suzie het hoofd van Ilias naar achteren trekt.
Ze staat te wankelen. Ze moet iets doen. Meegaan!
Ze rent naar de deur waar Simon zit, rukt hem open en werpt zich naar binnen.
'Stomme trut, oprotten,' hoort ze Suzie zeggen, die haar tegelijkertijd met één hand probeert te slaan. Simon wiegt heen en weer en maakt vreemde geluiden.
Het lukt haar het portier dicht te trekken waarbij ze gedeeltelijk op Simon valt.
'Oké, jouw keuze. Allemaal je kop houden en doen wat ik zeg, anders gebeuren er echt ongelukken,' snauwt Suzie.
Ze voelt het lichaam van Simon nog altijd heen en weer wiegen. Haar ogen zijn alleen op Ilias gericht. Hij beweegt nauwelijks. Suzie buigt zich naar voren en zegt met een ijzige stem: 'We gaan een ritje maken. Niets aan de hand, gewoon wat lol trappen. Ilias. Jij bent ons nog wat schuldig, dus dat kun je nu goedmaken. Hier zijn de sleutels en kom niet met het smoesje dat je niet kunt rijden.' Ze buigt zich verder voorover om de sleutels in het contact te steken.
'Jullie zijn hartstikke gek. Ik kan echt niet rijden,' kreunt Ilias.
'Dat geloof je zelf. Nu, klootzak, nu,' commandeert Suzie.
Ze moet Ilias helpen, maar de paniek slaat toe. 'Nee, Ilias, niet doen,' gilt ze en beukt met haar vuisten op Stephans rug. Niet doen, jullie zijn gek.'
Stephan draait zich met een ruk om. In zijn rechterhand heeft hij een mes.
'Wat wil je nu? Moet ik je vriendje pijn doen?' hijgt hij.
Even is het stil.
'Starten, nu!' roept Suzie.
Ilias zit kromgebogen en kreunt. Hij beweegt zijn rechterhand naar de sleutel en draait die langzaam om. De motor slaat meteen aan.

Simon wordt steeds onrustiger. Hij tikt in een razendsnel tempo met zijn vingers op zijn bovenbenen.
'Rijden, snel, naar buiten en dan rechtsaf,' beveelt Suzie.
Na een paar schokken beweegt de auto langzaam naar voren, de schuur uit.
'Gas man, sneller!' roept Stephan.
De auto maakt een bocht naar rechts en rijdt over een stuk hobbelig gras.
De anderen moeten dit binnen toch kunnen horen? Waar blijven ze?
Als ze achterom kijkt, ziet ze alleen de boerderij.
Wat kan ik doen? Suzie slaan? Maar dat mes? Oh god, we gaan er allemaal aan.
'Harder sukkel, we hebben niet de hele dag,' zegt Suzie.
Simon beweegt behalve zijn vingers nu ook zijn hoofd heel snel van links naar rechts.
'Wat willen jullie?' roept ze.
Er komt geen antwoord.
Ilias kijkt niet achterom. Hij zit nog steeds in elkaar gekrompen. Waarschijnlijk heeft hij heel veel pijn.
Als ze nog een keer omkijkt, is de boerderij helemaal uit het zicht verdwenen.
'De weg op en rechtdoor,' beveelt Suzie.
Er zijn geen andere auto's.
Waar gaan ze naartoe? Ze wil dit niet. Suzie en Stephan zijn compleet gestoord.
'Jullie zijn echt niet normaal. Denk je echt dat dit gaat lukken?' zegt ze met een trillende stem.
'Natuurlijk gaat het lukken,' lacht Stephan.
Simon duwt zijn lijf afwisselend tegen dat van haar en Suzie.
'Stop daarmee, idioot,' roept Suzie en ze duwt hem hard tegen de rugleuning. Simon houdt op met bewegen, maar maakt des te meer grommende geluiden.
Een auto rijdt achter hen en passeert hen na een paar seconden.
De bestuurder van de passerende auto kijkt niet op of om.

Ze had moeten gillen, zwaaien, alles is beter dan niets doen.
Als ze bij een kruising komen, mindert Ilias vaart en vraagt: 'Wat nu?'
'Links,' hoort ze Suzie zeggen. Het klinkt onzeker.
Hoe kan zij nu de weg weten? Ze woont hier niet eens een week.
Dit gaat vreselijk verkeerd. Wat als Ilias de macht over het stuur verliest?
De auto gaat naar links. De bewoonde wereld lijkt steeds verder weg.
Simon maakt weer kleine bewegingen van voor naar achter.
'Pipi,' fluistert hij.
'Wat moet hij nu weer?' vraagt Suzie aan Stephan.
'Weet ik veel,' antwoordt hij geïrriteerd.
'Pipi, pipi,' blijft Simon herhalen en hij grijpt naar zijn kruis.
'Oké, hij moet pissen. Stop de auto en laat hem eruit,' commandeert Suzie.
Ze hoort Ilias zuchten en hij stuurt de auto voorzichtig naar de berm.
Als de auto stilstaat maakt Suzie de deur aan haar kant open, stapt uit en trekt daarna Simon eruit.
Ze kan nu wegrennen, maar dan moet ze Ilias alleen laten. Nee, dat nooit. Stephan heeft het mes.
Simon staat naast de auto te plassen. Suzie gaat weer zitten en trekt het portier dicht.
'Rijden!' beveelt ze.
Stephan draait zich om en zegt met een luide stem: 'Nee, dat kun je niet maken.'
'Hou je kop. Rijden, zeg ik!' gilt Suzie.
Stephan knikt een keer en zet het mes op de keel van Ilias.
Ze voelt dat de auto weer vaart maakt.
Als ze omkijkt ziet ze de vragende ogen van Simon. Zijn blik snijdt in haar lijf.
Vuile egoïsten.

30

Stephan

'Hoeveel benzine hebben we nog?'
Ilias geeft geen antwoord.
'Ik vraag je, hoeveel benzine hebben we nog?' vraagt hij nog luider.
'Niet veel, dus jullie plezierritje zal niet lang meer duren.'
Hij kijkt achterom. Suzie heeft de wegenkaart op haar schoot liggen. 'Als we nog een paar kilometer rechtdoor rijden, komen we in een dorp. Daar kunnen we tanken,' zegt ze rustig.
'Ja, ja, denk je dat ze deze auto niet herkennen? En heb je geld dan?' is de reactie van Ilias.
'Wat dacht je hiervan?' antwoordt hij, haalt de creditkaart uit zijn sok en zwaait die een paar keer heen en weer.
'Vuile schoft. Jij bent een ontzettende eikel. Heb je ook maar één seconde nagedacht wat je te wachten staat? Denk je nu echt dat je dit gaat redden? Je kunt geen kant op, loser,' zegt Ilias met ergernis in zijn stem.
'Nu moet je je kop houden. Je doet gewoon wat wij zeggen, tenminste als je iets om je vriendinnetje geeft. Ik wil je best laten zien dat ik niet terugschrik voor een sneetje.' Hij laat Ilias nog maar eens het mes zien.
'Je blijft met je poten van Kim af. Ik wil jullie best ergens naartoe brengen, maar laat haar met rust!' schreeuwt Ilias.
'Rustig, man, let nu maar op de weg. Je stopt als we bij een pomp komen en ik meen het van Kim, dus je kunt kiezen.'
Voor iemand zonder rijbewijs, rijdt die Marokkaan behoorlijk goed. Gelukkig is het niet druk op de weg.
Kim is verdacht stil. Hij moet haar in de gaten houden. Ze kan al-

les nog verpesten. Waarom heeft Suzie haar niet met Simon de auto uit gegooid? De tape?
Hij voelt in zijn rugzak, haalt de tape eruit en stopt de rol in zijn jaszak.
Suzie buigt zich voorover en roept: 'Ja, daar is het dorp. Langzaam rijden en stoppen zodra we kunnen tanken. Ik denk dat het slim is en zeker het veiligst om gewoon mee te werken,' zegt ze tegen Ilias en Kim op een rustige, maar duidelijke toon.
'Wat als ze de auto herkennen, of de creditkaart al geblokkeerd is?' vraagt Ilias.
'Dat is hij niet. Willem en Janine hebben nu wat anders aan hun hoofd. En wat dan nog als ze de auto herkennen,' zegt ze ongeduldig.
Rechts en links van de weg verschijnen huizen. MARDOUX, leest hij op een bord. In de verte ziet hij een bord met Q8 erop.
'Richting aangeven naar rechts en bij de pomp stoppen,' beveelt Suzie.
'Stephan, jij gaat achterin bij Kim zitten, ik loop met Ilias mee. Doe geen gekke dingen. Ze verstaan je toch niet en als je probeert weg te lopen, laat je Kim aan haar lot over,' zegt ze tegen Ilias.
De auto wordt heel langzaam naar rechts gestuurd. Er zijn geen andere klanten.
'Weet je wat er in de auto moet?' vraagt Ilias.
'Nee, maar je maakt me niet wijs dat jij dat niet weet. Opschieten, man, we moeten hier zo snel mogelijk weg,' bijt hij hem toe. De zenuwen gieren door zijn keel.
Wat als de politie hen al op de hielen zit? Is de boel hier beveiligd met camera's? Nee, het is allemaal oude zooi.
Zodra Suzie is uitgestapt, maakt ze de deuren achter zich op slot. Hijzelf schuift razendsnel naast Kim op de achterbank. Ze kijkt hem angstig aan.
Suzie loopt met de autosleutels in haar hand naast Ilias naar de pomp. Hij pakt een van de slangen en trekt hem naar de auto. Suzie probeert de dop los te draaien, maar het lukt haar niet. Ilias

pakt de sleutels uit haar handen en stopt een ervan in de dop. Hij draait hem handig open en stopt de slang in de tank. De jongen in het winkeltje kijkt wel een keer naar buiten, maar gaat vervolgens verder met het lezen van zijn boek.
Als Kim naar het handvat van de deur grijpt, slaat hij hard op haar arm. 'Stomme trut. De deur is op slot. Wat ben je nu van plan? Je verpest het zo voor iedereen, maar vooral voor jezelf.'
Zonder verder na te denken pakt hij de tape uit zijn jaszak. Hij legt de rol op zijn schoot en grijpt Kims handen. Het is maar goed dat hij zo veel spierkracht heeft, want ze werkt niet echt mee. Het lukt hem met één hand haar handen bij elkaar te houden en met de andere hand de tape een paar keer om haar polsen en handen te draaien. Ze probeert hem nog steeds te slaan, maar ze heeft echt geen kracht. Dan schopt ze lomp tegen zijn scheenbeen.
'Godver... Oké, als je zo begint.'
Ze beukt met beide handen op zijn rug wanneer hij ook haar benen aan elkaar tapet.
'Houd je rustig, je kunt beter meewerken. Ik wil ook nog wel een stuk tape op je mond plakken.'
Hij ziet tranen in haar ogen. 'Janken helpt niet, hoor.'
Als Ilias de slang weer in de houder schuift en de dop op de tank draait, kijkt Suzie gespannen naar de auto. Ze knikt een keer en loopt achter Ilias aan naar het winkeltje. Nu moet het goed gaan. Als die Marokkaan ook maar één verkeerd woord zegt...
Gelukkig heeft hij Suzie verteld dat ze de kaart moet afgeven en alleen een krabbel op de rekening moet zetten. Als het niet lukt, hebben ze ook genoeg geld. Misschien was het toch safer geweest contant te betalen. Gespannen volgt hij de handelingen van Ilias en Suzie.
De jongen neemt de kaart aan. Wat hij daarna doet, is niet goed te zien. Het is doodstil.
Dan geeft de jongen de kaart terug en lopen Ilias en Suzie terug naar de auto. Ilias staat even stil bij het portier. Zo te zien twijfelt

hij. Dan draait hij zich om naar de achterbank. Hij schudt zijn hoofd en opent het voorportier.
'Stephan, je gaat te ver. Als je Kim niet losmaakt, stap ik niet in,' hoort hij Ilias met een trillerige stem zeggen.
Wat nu? Hij kijkt naar Suzie, die ook nog buiten de auto staat.
'Oké, laat haar maar in de steek. Als jij niet meer wilt, gaan we zonder jou verder,' zegt Suzie, nog steeds zo akelig rustig.
Ilias kijkt naar Kim. Ze huilt. Hij stapt in en start de auto. 'Er brandt een lampje dat daarnet nog niet aan was,' zegt hij op een zakelijke toon.
'Goed zo, hebben we later meer licht,' reageert Suzie, die ook is ingestapt.
Langzaam rijden ze het terrein af en vervolgen hun weg.
Kim zit doodstil naast hem. Ze lijkt wel een zombie.
Het gaat goed. Het geeft naast de angst ook wel een geweldige kick. Niet nadenken, nog even en dan zijn ze ver genoeg verwijderd van de bewoonde wereld. Vrijheid, yes!

31

Suzie

'Als we het dorp uit zijn, gaan we naar rechts, richting Vieilfour,' beveelt ze Ilias.
'Je realiseert je niet hoe stom je bezig bent,' antwoordt hij.
Zonder hem aan te kijken, zegt ze: 'Ik weet wat ik wil en als ik iets wil, houdt niemand me tegen, dus doe nu maar gewoon wat ik zeg.'
In de voorruitspiegel ziet ze dat Kim haar ogen dichthoudt en zich niet beweegt.
'Wat is er met haar?' vraagt ze aan Stephan, terwijl ze met haar hoofd naar Kim knikt.
'Weet ik veel. Ik heb gezegd dat ze zich rustig moet houden, en zo te zien heeft ze goed geluisterd.'
'Haal de tape dan weg,' roept Ilias.
'Straks, als ze zich goed gedraagt,' antwoordt Stephan.
'Wat zijn jullie van plan? Ik voel me ontzettend beroerd. Het wordt straks donker. Denk je dat we dan nog weten waar we zijn?'
Ze zwaait met de wegenkaart voor zijn neus.'Natuurlijk wel. Ik ben een goede kaartlezer en als we dit achterlijke gebied uit zijn, volgen we gewoon de grote steden.'
'Heb je al eerder in de cel gezeten?' vraagt Ilias, gevolgd door een akelig lachje.
'Hou je kop man en let nu maar op de weg. Trouwens, je mag me wel eens dankbaar zijn dat ik je uit dit godvergeten oord haal.'
Hij roept iets in het Marokkaans en heeft zo te horen de verkeerde versnelling te pakken.
Het is waarschijnlijk beter om over een tijdje de snelweg op te schieten. Alhoewel, als ze de politie gewaarschuwd hebben is het

misschien toch beter om voorlopig de binnenwegen te nemen, maar dan gaat het wel langer duren.
Het duurt zeker een kwartier voordat ze weer een bord zien. BOURDON DE BROUSSES, staat erop. Ze kan het niet vinden op de kaart. Zeker niet de moeite waard om te noteren. Geen wonder. Er zijn vijf boerderijen, verder niets. De plaats die Jon noemde kan toch niet heel ver meer zijn?
'Kunnen we zo meteen even stoppen? Ik moet pissen. We zijn al minstens veertig kilometer verder, dus behoorlijk veilig lijkt mij,' zegt Stephan.
'Nog niet, ik wil nog minstens tien kilometer verder rijden,' roept ze, zonder om te kijken.
De zweetdruppels op het gezicht van Ilias vermenigvuldigen zich in een snel tempo. Wat als hij straks echt erg ziek wordt en een dokter nodig heeft? Hij moet drinken, veel drinken.
'Stephan, geef me het water eens aan.' Als hij de fles in haar handen duwt draait ze de dop eraf en houdt ze de fles voor Ilias. 'Neem een slok.'
Hij schudt zijn hoofd en duwt haar hand weg.
In een snelle beweging zet ze de fles aan zijn mond en kantelt hem. Hij spuugt het water op de voorruit en de auto slingert naar links.
'Gek, ik wil geen drinken. Wil je graag dood, dan moet je vooral zo doorgaan!' roept Ilias.
Het water druppelt over zijn kin.
'Dan niet, maar ga straks niet zeiken dat je je niet goed voelt.'
Ze schroeft de dop weer op de fles en geeft hem terug aan Stephan.
'Nog even volhouden, jongens. Morgen kunnen we feesten en genieten van de vrijheid. Zeg nu zelf, Ilias: wat ben je nu opgeschoten in al die maanden gevangenisschap?'
Weer reageert haar buurman niet.
'Zie je wel, je kunt niet één ding opnoemen. Zal ik je eens wat vertellen? Je moet je eigen plannen maken. Wat heb je eraan als vol-

wassenen allerlei plannen bedenken die zogenaamd goed voor je zijn? Het komt er altijd weer op neer dat je te horen krijgt dat het toch niet goed genoeg is wat je doet. Dat ze teleurgesteld in je zijn. Daar moet je niet op wachten. We kunnen ze op deze manier laten zien dat we ze helemaal niet nodig hebben. Zeg nu zelf: hebben jullie zoveel aan je ouders gehad? Nou ik niet. Mijn vader heeft jaren geleden ook zijn eigen plan getrokken. Van het een op het andere moment vertrokken. Wat een joke, zo vader, zo dochter. Tja, en mijn moeder. Ze had mij nodig in plaats van ik haar. Nee, van volwassenen moet je het niet hebben. Ze zijn vastgeroest in hun ideeën, kunnen niet normaal meer denken.'
'Mijn vader is ook een lul. Weet je wat hij zei toen ik naar Frankrijk ging?' vraagt Stephan.
'Nou?'
'Dat ik hem nog eens erg zal gaan waarderen als ik zal inzien dat mijn levensstijl er een van een loser is.'
De imitatie van zijn vaders stem klinkt grappig.
'Wie is hier nu de loser?' lacht ze hardop.
'Die ouwe van me met zijn kapsones. Nee, zíjn levensstijl is lekker. Werken, werken en nog eens werken. Mij niet gezien. Ik ga genieten en mijn eigen boontjes doppen.'
'Yeah, right,' moedigt ze hem aan. Het is maar goed dat hij haar gedachten niet kan lezen. Wat een sukkel. Alsof zij hem straks op sleeptouw gaat nemen.
'Stephan, wat ga je doen dan?' vraagt Ilias plotseling.
'Oh, ik kan heel goed mijn geld verdienen met vechten. Ze bieden me zo een paar knappe wedstrijden aan.'
'Ja, dat is een mooie toekomst. Jezelf in elkaar laten slaan en straks zo weinig hersencellen over hebben als Mohammed Ali.'
'Wil je soms een voorproefje?' sist Stephan.
'Hou op, jullie. Let liever op. We moeten hier toch ergens een afslag naar rechts hebben.'
Op de kaart is er toch duidelijk een weg naar rechts. Ze zijn er nog niet voorbij, maar het ziet er niet naar uit dat er een afslag komt.

'Stop. Ik wil even nadenken en dan kan Stephan even pissen. Kim moet jij ook?'
Er komt totaal geen reactie. De ogen van Kim blijven gesloten.
'Je moet het zelf weten.'
Ze pakt de sleutels uit het contact en stapt uit. Stephan volgt haar voorbeeld, maar Ilias lijkt niet van plan te zijn de auto te verlaten.
'Blijf je zitten?' vraagt ze hem.
'Ja, ik blijf bij Kim,' antwoordt hij.
Ze sluit alle deuren. Ze zijn niet te vertrouwen.

32

Ilias

Hij draait zich om. Kim houdt haar ogen nog altijd gesloten.
'Meisje, hoe is het? Ik blijf bij je. Niet bang zijn. Het komt goed.'
Ze reageert niet.
Hij pakt haar beet.
'Kim, alsjeblieft, zeg iets tegen me. Ik heb jou ook nodig.'
Nu opent ze langzaam haar ogen. Die angstige blik!
'Ik kan geen kant meer op. Ze hebben mij in hun macht. Ik moet naar ze luisteren, Ilias, anders gaan ze me pijn doen,' kreunt ze.
'Kim, kom op. We moeten blijven vechten. Als we het samen slim aanpakken, gaat het lukken. Ik wil je zo graag losmaken, maar ik weet zeker dat Stephan het dan nog erger voor ons zal maken. Er komt een moment waarop we weg kunnen en ik weet zeker dat Janine en Willem naar ons zoeken.'
Ze glimlacht heel even, maar haar ogen zijn zo verdrietig.
Vuile schoften. Ze maken haar helemaal kapot. Hij moet iets doen, maar wat? Als de auto niet meer start, kunnen ze niet verder. Maar in dit afgelegen gebied lukt het nooit om mensen te waarschuwen. Suzie kan hij zo in elkaar slaan, maar dan zal Stephan zijn botte krachten op hem botvieren en dan is Kim helemaal aan haar lot overgelaten. Het beste is: doen wat ze van hem willen. Als ze hun doel bereikt hebben, zijn ze voorgoed van ze af.
Suzie werpt snel een blik door het raam en loopt weer terug naar de motorkap waarop ze de kaart heeft uitgespreid.
Het is kwart voor vijf. Over een halfuur is het donker. Hij ziet het gezicht van Simon weer voor zich. Hoe kunnen ze zo'n onschuldige jongen zomaar aan zijn lot overlaten? Gelukkig werd hij vlak bij het dorp uit de auto gezet. Hij is vast al weer terug. Wat zullen

Janine en Willem nu doen? Als het nummerbord van de auto is doorgegeven, moet er toch een mogelijkheid zijn dat iemand het herkent. We moeten meer in de bewoonde wereld rijden.
Suzie opent de deuren, geeft hem de sleutels en gaat naast hem zitten. Stephan gaat ook weer op zijn plaats zitten.
Ze schraapt haar keel en zegt: 'We rijden nog ongeveer vijf kilometer op deze weg, daarna naar rechts, richting Toulouse. Daar kunnen jullie beslissen of jullie met ons meegaan of teruggaan naar het fantastische project.'
'Zo, fijn dat jullie ons de keuze laten,' antwoordt hij.
'Rijden nu, ik ben blij dat jullie meewerken.'
Die rotstem van die bitch. Hij haat haar. Hij haat haar nog meer dan zijn vrienden. Wat heeft hij haar misdaan? Niets. Hij had het pistool mee moeten nemen. Eén ding is zeker: als hij nog heelhuids terugkomt, gaat hij het anders aanpakken. Hij zal Willem en Janine vragen hem te helpen. Kappen met dat rotwereldje van afpersing en bedreigingen.
Hij draait de sleutel om. Niks. Nog een keer. Niks.
Suzie kijkt hem zeer geïrriteerd aan.
'Daar trap ik dus niet in,' zegt ze
Hij draait de sleutel nog een keer om. Niks.
'Hij doet het echt niet meer,' meldt hij haar.
Het blijft even stil.
'Probeer het nog een keer. Nu!' commandeert ze.
Heel langzaam draait hij de sleutel naar rechts. Helemaal niks.
'Hoe kan dat? Als je de boel belazert, ga je eraan.' Haar stem klinkt akelig vijandig.
'Ik weet het niet, maar ik heb hier niets mee te maken, als je dat soms denkt.' Hij draait de sleutel nog een paar keer om, maar er is geen beweging in de motor te krijgen. Toch de verkeerde benzine?
Suzie stapt uit en gooit de deur met een harde klap dicht. Ze loopt om de auto heen en slaat met haar vuist op de motorkap. 'Klotekar.'

Ze stapt weer in en graait het mes uit de handen van Stephan. 'Ik maak je kapot als je niet meewerkt. Je liegt, vuile Marokkaan. Starten, nu!'
Hij draait de sleutel voorzichtig om, maar de motor maakt geen enkel geluid.
Suzie slaat met beide handen op het dashboard en gilt: 'Uitstappen, allemaal uitstappen!'
Hij draait zich om. Kim kijkt hem vragend aan.
'Dan zul je eerst Kim moeten losmaken,' zegt hij tegen Stephan. Dat zielige kereltje kan niet eens zelf beslissen wat hij moet doen. Hij loopt naar buiten en praat met Suzie.
Als Stephan terugkomt haalt hij de tape van Kims voeten en snauwt: 'Opstaan, straks maak ik je handen los.'
Kim stapt uit en leunt met haar rug tegen de auto.
Hij stapt ook uit en geeft de autosleutels aan Suzie. 'Alsjeblieft, misschien wil je het zelf nog een keer proberen?'
Ze gooit de sleutels zonder na te denken in de berm. 'Goed, we lopen naar het dichtstbijzijnde dorp en daar nemen we een taxi naar een station.'
Stephan staat als een houten klaas naar Suzie te kijken. 'Is het niet slimmer als wij met zijn tweeën verdergaan?' vraagt hij voorzichtig aan Suzie.
'Nee, dat is het niet. Wat denk je dat zij gaan doen? Bij de eerste de beste gelegenheid de politie bellen en vertellen waar wij zijn. Dan hebben ze ons zo te pakken, denk je ook niet? Kom op, pak de spullen en zeik niet!' gilt ze hysterisch.
Kim beweegt niet. Hij loopt naar haar toe en pakt haar handen beet. 'Kom, we moeten volhouden. Het komt goed, Kim, ik laat je niet in de steek.'
Het is erg koud geworden. Zijn lijf gloeit, maar toch staat hij te shaken.
'Ligt er misschien een deken in de achterbak?' vraagt hij aan Stephan.
'Nee, we gaan nu lopen. Kom op, straks is het echt donker. Vol-

gens de kaart moet er na vier of vijf kilometer een dorp zijn,' antwoordt Suzie.
Dan staat ze plotseling stil en grijpt ze naar haar been. 'We kunnen een taxi bellen!' roept ze.
Ze haalt een mobieltje uit haar sok.
Hoe heeft ze dit allemaal voor elkaar gekregen?
'Shit, welk nummer? Stephan, welk nummer moet ik intoetsen?'
Als haar grote vriend zijn schouders ophaalt, zucht Suzie zeer geïrriteerd.
'Aan jou heb ik ook veel zeg! Ilias of Kim, jullie weten het vast wel. Denk goed na,' beveelt ze.
'Weet ik veel! Denk je dat ook maar iemand het nummer van de taxicentrale uit zijn hoofd kent? Jij bent degene die dit spelletje heeft verzonnen. Ik wil niets liever dan een taxi bellen, maar denk je nu echt dat ik het nummer weet?' snauwt hij haar toe.
'Ik kan ook iemand in Nederland bellen en het nummer vragen. Of zal ik Willem en Janine bellen?' vraagt Suzie.
Ze kijken haar nu allemaal zeer verbaasd aan.
'Ik bel mijn moeder wel. Ze heeft me altijd nog geholpen,' zegt Stephan trots.
Suzie geeft hem het mobieltje. Gespannen kijken ze hoe hij het nummer intoetst. Behalve de wind en het gefluit van een vogel is er geen geluid.
'Geen bereik,' is de zin die de stilte doorbreekt.

33

Kim

Als ik doe wat ze van me willen, is het eerder voorbij. Het heeft geen zin om ertegenin te gaan, dan zullen ze me alleen maar meer pijn doen. Als ik doe wat ze willen... Steeds weer herhaalt ze die zin in haar hoofd.
Het is koud, maar de kou wordt door haar lijf niet toegelaten.
Ilias loopt naast haar. Hij houdt zijn hand op haar schouder. Hij is lief, maar het lukt haar niet iets tegen hem te zeggen.
Ze telt de paaltjes langs de weg. Heel veel paaltjes.
Gelukkig zijn haar handen ook bevrijd van de tape. Ilias had net zo lang gesmeekt totdat hij ze mocht losmaken.
Suzie had geïrriteerd geroepen: 'Oké, maak maar los. Jullie kunnen toch geen kant op. Wij hebben het geld, het eten en drinken en niet te vergeten het mes.'
Toch schiet de gedachte hier achter te blijven door haar hoofd. Maar dan moet Ilias dat ook doen.
Stephan en Suzie lopen vlak achter hen. Ze zeggen niet veel tegen elkaar en als er woorden uit hun mond komen, klinken ze niet al te vriendelijk.
Dat Stephan zich zo laat beïnvloeden door Suzie. Alsof zij hem straks nog ziet staan.
'Rookpauze,' is de zakelijke mededeling van Suzie en ze gaat in de berm van de weg zitten. Stephan neemt naast Suzie plaats en steekt een sigaret op.
Zelf wil ze blijven staan. Ilias ziet er echt ziek uit. Hij komt naast haar staan en fluistert: 'We moeten wachten totdat we bij een dorp komen. Hier hebben we geen kans. Als we er zijn, rennen we met z'n tweeën zo hard als we kunnen naar het

dichtstbijzijnde huis. Dan kunnen ze ons niets meer maken.'
Een klein beetje hoop komt terug. Het lukt haar even te glimlachen.
Is dit erger dan de situatie met haar vader? Nee, ook al is het afschuwelijk allemaal, het is niet erger. Ze dringen niet echt bij haar binnen. Ze kan zich namelijk afsluiten. Vooral door de aanwezigheid van Ilias voelt het minder eenzaam. Hij laat me niet aan mijn lot over.
In de verte is het geluid van een motor te horen. Suzie en Stephan staan tegelijkertijd op.
'Geen geintjes. Stephan, ga achter Kim staan,' commandeert Suzie.
Een rood busje verschijnt in de verte.
Suzie gaat voor Ilias staan, met haar rug naar de weg.
Stephan trekt haar naar achter en ze voelt zijn adem in haar nek.
'Ik heb nog steeds het mes en ben niet bang het te gebruiken,' fluistert hij.
Ze zou zich nu moeten omdraaien en hem zo hard in zijn kruis moeten trappen dat hij voor de rest van zijn leven aan haar zal denken.
De blik van Ilias maakt haar rustiger. Hij knikt langzaam en knijpt zijn ogen een paar seconden samen. Ze moeten wachten totdat ze in het dorp zijn.
De auto komt snel dichterbij. Er zitten twee mannen in. De bestuurder kijkt in hun richting en mindert vaart.
Als ze nu gilt of naar de auto sprint...
De punt van het mes in haar rug en een verlammende angst houden haar tegen. Ze zet een stap naar voren. Ze voelt dat Stephan hetzelfde doet en hoort hem tegen Suzie fluisteren: 'Als die mannen ons een lift willen geven...'
'Hou je kop, ik beslis wat we doen,' zegt Suzie behoorlijk gespannen.
De auto is nu slechts een paar meter van hen verwijderd. De man draait het raam open en roept: 'Ça va?'

Suzie draait zich om en zwaait met haar rechterarm.
'Oui,' roept ze en draait zich weer om.
De man kijkt alsof hij het niet gelooft, maar hij rijdt weer langzaam verder.
Suzie loopt naar Stephan en gaat recht tegenover hem staan. 'Luister goed. Ik zeg het nog één keer: ik bepaal wat we doen. We hebben een plan gemaakt en daar houden we ons aan. Dus we lopen door het bos en daarna komen we in een redelijk grote plaats. CAZALS.'
Ilias kijkt haar bemoedigend aan en fluistert: 'Kom op, Kim. Ik had ook even gehoopt dat het iemand van de politie, of een kennis van Willem en Janine zou zijn.'
Stephan haalt een stuk chocolade uit zijn rugzak en biedt haar en Ilias een stuk aan. Ze weigeren beiden.
Ik ga nog liever dood van de honger dan van die gluiperd ook maar iets aan te nemen, denkt ze.
Het is al aardig donker en vóór hen is alleen maar bos te zien. Dit gaat nog uren duren.
Gelukkig regent het niet, maar de wind is nog altijd niet gaan liggen.
Wat zullen Janine en Willem ongerust zijn. Zouden ze haar vader en moeder al hebben ingelicht? Shit, ze denken misschien wel dat wij ook van de plannen af wisten. Maar als ze alles reconstrueren, weten ze dat het Suzie was die per se naar de familie Picard wilde. Maar wat als Simon terug is en verhoord wordt? Hij zal duidelijk maken dat Ilias in de auto reed.
Het bos ziet er akelig donker en eindeloos uit. Suzie heeft Stephan bevolen voorop te lopen. Er is een soort pad, maar dat lijkt verderop op te houden.
Tot haar verbazing haalt Stephan een zaklantaarn uit zijn rugzak en hij schijnt in het rond. 'Als we hier verdwalen, komen we er nooit meer uit,' zegt hij nogal zenuwachtig.
'Kom op, man, alsmaar rechtdoor, dan zien we over een tijdje vanzelf het dorp,' zegt Suzie kregelig.

Ilias loopt nu achter haar. Ze hoort hem hijgen. Als hij het maar volhoudt.
Als ze om zich heen kijkt, ziet ze alleen maar hoge bomen. Als ze aandachtig luistert, is er alleen maar het geluid van hun eigen voetstappen, geritsel van bladeren en heel af en toe het gefluit ven een vogel.
Door mijn neus inademen en door mijn mond weer uit. Dat had de psycholoog haar geleerd nadat ze met elkaar hadden gepraat over haar benauwdheidsklachten. Ze probeert het een paar keer. Of het helpt is niet duidelijk, maar het leidt haar in ieder geval een beetje af.
Kwart over zeven is het op haar horloge. Ze heeft sinds vanmorgen niets meer gegeten. Oh jawel, de kastanjes. Toch is er geen hongergevoel. Integendeel: ze moet niet aan eten denken.
Dat was toen ook zo. Ze weet nog precies wat ze toen dacht. Alles wat in mijn lichaam komt, is vies. Het moet eruit. Ze had dagenlang haar eten geweigerd. Toen haar moeder haar had gedwongen haar bord leeg te eten, had ze alles weer uitgespuugd.
Wat zal haar vader doen als hij te horen krijgt dat ze spoorloos verdwenen is? Haar komen zoeken? Alles achter zich laten om haar te redden? Zijn hele vermogen inzetten om een speciaal reddingsteam te kunnen betalen? Haar in zijn armen sluiten als ze gevonden is? Ze weet wel beter!
En Ronnie en mama?
'Let op, een kuil!' roept Ilias, die achter haar loopt.
Haar rechtervoet zakt wel een halve meter naar beneden, glijdt weg en zwikt om. Ze valt op haar rechterzij en voelt dat haar gezicht langs een tak schaaft. De pijnscheuten die volgen maken haar misselijk.
'Kim... Kim, gaat het? Kun je staan? Kom, ik help je.' Ilias' stem klinkt nerveus en bezorgd.
Hij houdt zijn beide onderarmen onder haar oksels en trekt haar een stukje omhoog.
'Au, au, nee, het gaat niet.' Ze voelt de tranen over haar wangen rollen.

'Shit, ik wist het. Ze brengt alleen maar ongeluk,' hoort ze Suzie zeggen.
Voorzichtig tilt Ilias haar voet uit de kuil.
Het voelt alsof hij gebroken is. Snijdende messen in haar enkel.
'Ik denk dat je hem lelijk verzwikt hebt. Zal ik je schoen proberen uit te doen?' vraagt Ilias zacht.
Ze knikt en spuugt het zand uit haar mond.
Ze hoort Stephan en Suzie iets tegen elkaar zeggen, maar kan het niet verstaan.
Heel voorzichtig maakt Ilias haar veters los en langzaam trekt hij haar schoen uit. Ze voelt zich draaierig en misselijk en het voelt alsof ze gaat flauwvallen.
'De enkel lijkt nu al dik. Er moet water op. Jullie hebben toch een fles water?' vraagt Ilias aan Suzie.
'Ja, maar die hebben we nog hard nodig,' antwoordt die.
'Suzie, geef dat water,' beveelt Ilias haar.
Het is voor haar niet te zien, maar het is duidelijk dat Suzie de fles niet wil geven.
'Stomme egoïstische trut,' snauwt Ilias.
Hij wrijft voorzichtig over haar gezicht en zegt: 'Er zit een lelijke snee in je wang.'
Ze voelt alleen maar haar bonkende enkel.
'We moeten verder,' zegt Suzie.
'Godver... Jij bent zo slecht. Help me liever,' roept Ilias.
Door mijn neus inademen en door mijn mond uit. Door mijn neus inademen en...
'Suzie!... Stephan!...' Ilias gilt.
Ze ziet alleen vier benen die steeds verder van hen vandaan lopen.
'Klootzakken.' Ilias huilt en stottert: 'Het komt goed. Ik laat je niet alleen.'
Dan wint de woede het even van de ongelooflijk hevige pijn. Ze moet proberen voorzichtig overeind te komen. We moeten verder. Ze pakt haar schoen en Ilias schuift hem aan haar voet. Hoe voorzichtig hij het ook doet, de pijn is afschuwelijk.

Ilias gaat aan haar rechterzij staan en ondersteunt haar met beide handen. Ze slaat haar rechterarm om zijn nek en hinkt een paar passen op haar linkervoet. Bij elk sprongetje springen er nieuwe tranen in haar ogen. 'Ilias, ik kan het niet. Sorry, het lukt niet.' Ze legt haar hoofd tegen zijn schouder en huilt luid.
Ilias veegt de tranen van haar gezicht en kijkt haar aan. 'Het gaat lukken. Niet opgeven. Ik neem je op mijn rug.'
'Is het niet slimmer om de weg door het bos terug te gaan?' vraagt ze.
'Ik denk het niet, volgens Suzie was het ongeveer vier of vijf kilometer naar een dorp en terug is zeker verder.' Hij gaat voor haar staan en trekt haar voorzichtig op zijn gespierde rug.
Hij loopt langzaam, maar met gerichte stappen vooruit. Ze voelt onder haar rechterhand zijn bonzende hart. Nog nooit in haar leven heeft iemand zich zo voor haar ingespannen. Ze legt haar hoofd op zijn schouder en voelt de tranen in zijn jas verdwijnen.

34

Stephan

Ze heeft de afgelopen tien minuten niet meer dan tien woorden gezegd. Het geeft hem een benauwd gevoel. Hoe zou ze reageren als hij nu teruggaat naar de anderen?
Hoe erg hij Ilias ook vindt: hij is allesbehalve egoïstisch. De manier waarop hij met Kim omgaat is toch wel bijzonder.
Wat als hij in die kuil was gestapt en er een beroerde enkel aan had overgehouden? Had Suzie dan op hem gewacht?
Voor zijn gevoel moeten ze veel meer rechts aanhouden.
'Suzie, ik weet het niet zeker, maar misschien moeten we meer naar rechts,' probeert hij voorzichtig.
Ze staat stil en kijkt om. 'Als je het niet zeker weet, kun je beter niets zeggen.'
Wat als ze helemaal verkeerd lopen en de politie komt hen op het spoor? Ze zullen hem niet meteen de bak in gooien, maar wat wel? Terug naar Willem en Janine zal niet gaan. Terug naar zijn ouders? Geen optie. Zijn vader zal hem met plezier de deur wijzen. Hij zal zich bevestigd voelen in zijn ideeën over zijn zoon. Stephan is een meeloper. Een jongen zonder ballen. Een loser die niet voor zichzelf kan zorgen. Maar als Suzie hem ook laat stikken?
Hij voelt zich een enorme sukkel. Ze beloven hem van alles en hij trapt erin. Ze heeft hem alleen nodig om weg te komen.
Mijn vrienden hadden me ook nodig om er zelf beter van te worden. En als ze hem niet meer nodig hebben, dumpen ze hem. Ze zetten hem langs de straat als vuilnis.
Het is zo ontzettend klote dat de situatie zich steeds weer lijkt te herhalen. Er wordt hem een worst voor gehouden en hij rent daar zonder erbij na te denken achteraan.

Het was altijd al zo. Stephan, als jij Pieter zijn banden leeg laat lopen, krijg je een Mars. Stephan, als je deze brief bij Anne in haar tas stopt, mag je een keer op mijn brommer rijden. Stephan de lul doet het wel.
Maar als Suzie zich wel aan haar belofte houdt? Volgens haar hoeven ze geen huur te betalen in het kraakpand. Relaxed: opstaan wanneer hij zin heeft, eten en drinken waar hij trek in heeft. Een jointje roken zonder dat iemand er commentaar op levert.
Suzie stopt onverwachts en gaat op een omgevallen boom zitten.
'Even een sigaretje,' zegt ze.
Als ze allebei een shagje hebben gedraaid, vraagt ze zonder hem aan te kijken: 'Hoeveel kilometer lopen we nu al door dit bos?'
'Drie ongeveer, misschien vier,' antwoordt hij.
'Dan gaan we vanaf nu naar rechts,' zegt ze beslist.
Hij kan haar beter te vriend houden en niets zeggen.
Ze drinken een beetje water. Suzie zegt helemaal niets over Kim en Ilias. Alsof ze nooit bestaan hebben.
Het is nu pikdonker. Zou zij niet bang zijn? Ze laat het in ieder geval niet merken. Wat als er zo meteen een wild zwijn of een vos voor hun neus staat? Wat als ze over een uur nog steeds geen bewoonde wereld zien? Het risico dat je hier struikelt is groot. Helpt hij Suzie als ze haar enkel bezeert? Heeft hij in zijn leven überhaupt ooit iemand echt geholpen? Ja, zijn vrienden, maar of je dat helpen kunt noemen? Hij deed het omdat hij er zelf beter van werd.
'Weet jij al hoe je straks aan geld gaat komen?' vraagt Suzie plotseling.
'Met boksen, denk ik.'
'Verdient dat goed dan?'
'Als je het tegen een zware jongen op wilt nemen wel.'
'Misschien weet ik wel een gemakkelijkere manier om aan geld te komen,' zegt ze uitdagend.
'Vertel.'
'Internetporno.'

'Wat?'
'Ben je doof of zo? Internetporno,' zegt ze alsof het de normaalste zaak van de wereld is.
'En wat houdt dat in?'
'Naaktfoto's op bepaalde sites op internet plaatsen. De bezoeker betaalt en je blijft lekker anoniem. Goud geld mee te verdienen.'
'En hoe kom je aan de foto's?'
'Ja, dat is natuurlijk geheim. Maar als je een beetje power hebt, en dat heb jij wel, in ieder geval in je vuisten, kan ik misschien wel wat voor je regelen.'
Hij haalt zijn schouders op en mompelt: 'Oké.'
'Godver, hoe lang duurt het nog voordat we dit fucking bos uit zijn?' Ze schopt een keer met de neus van haar schoen in de modder. 'Ik wil feesten.'
'Volgens mij is het niet meer dan een kilometer. Ik hoop dat ze er taxi's hebben.'
'Hoeveel geld heb jij nog?' vraagt ze.
'Veertig euro en een creditkaart.'
'Ik heb ook veertig euro. We kunnen iemand omkopen om ons te rijden of we passen onze tactiek van vanmiddag nog een keer toe. We hebben nog steeds een mes.'
Ze schrikt echt nergens voor terug. Hij moet het mes nooit aan haar geven. Eén keer iemand bedreigen is genoeg.
Dan flitst het door zijn hoofd: ik ben degene die Kim met een mes heeft bedreigd. Ik ben degene die de creditkaart heeft gestolen. Waar kunnen ze Suzie van beschuldigen? Shit, ze heeft het zo gespeeld dat ze zelf nergens voor gepakt kan worden. Ze heeft Ilias laten rijden. Ze kan het verhaal zo draaien dat ze mij alle schuld in de schoenen schuift. Dat het allemaal mijn plan is geweest. Dat laat ik niet gebeuren. Ik laat me niet weer misbruiken!

35

Suzie

Stephan draait zich onverwachts om en blijft als een standbeeld voor haar staan. Ze kan zijn ogen niet echt goed zien, maar hoort hem zwaar ademhalen. 'Wat als ik je hier ter plekke in elkaar sla, of een mes tussen je ribben steek?'
Ze zet automatisch een stap achteruit en voelt haar hart bonken. 'Waar heb je het over? Waarom zeg je zoiets?' vraagt ze hem zo neutraal mogelijk.
'Jij hebt mij nu nodig. Maar wat als we in het dorp zijn? Of als we terug zijn in Nederland? Dan dump je me en ik laat me nooit meer dumpen,' antwoordt hij haar op een akelig agressieve toon.
Ze is totaal van slag en voelt haar knieën knikken.
'Hoe kom je erbij? Wie zegt dat ik jou dump? Dit slaat echt nergens op. Ik heb je beloofd dat ik een plaats voor je regel in het kraakpand, dus dat doe ik ook.' Ze voelt het zweet over haar rug lopen. Hij maakt haar bang. Ontzettend bang, maar dat moet ze niet laten merken.
'En wie zegt dat jij je aan je woord houdt?' vraagt hij eisend.
'Ik. Heb ik me soms niet aan mijn woord gehouden? Wat heb jij? Als we niet samenwerken, kunnen we het wel vergeten. Ik zweer je: ik heb het goed met je voor. In Nederland regel ik een kamer voor je en een baan. Wat is daar mis mee? Ik snap jou niet.' Ze probeert haar stem zo krachtig mogelijk te laten klinken.
'Waarom zou je mij wel helpen en Kim en Ilias niet? Wat als ik mijn enkel verstuik. Help jij me dan ook?'
'Natuurlijk doe ik dat. Man, je moet nu ophouden. Jij was het met het plan eens, weet je nog? Jij wilde toch ook dat Ilias en Kim meegingen?'

'Ja, maar ik had ze niet alleen in dit afgelegen oord achtergelaten. Straks redden ze het niet en hebben wij dat op ons geweten.'
'Natuurlijk redden ze het wel. Ze zijn geen kleine kinderen. Alsof jij Ilias geholpen zou hebben! Jij hebt een grotere hekel aan hem dan ik, hoor.'
Stephan verroert zich niet en blijft haar maar aankijken.
'Kom op, Stephan. Je kunt me vertrouwen. We zijn er bijna. Ik beloof je dat ik je help. We kunnen samen een hartstikke leuke tijd hebben. Ik heb het helemaal gehad met Mirsad, dus daar hebben we geen last van.' Haar toon klinkt zekerder, maar zo voelt ze zich absoluut niet.
'Kom op, we lopen door. Ik krijg honger en heb het koud.' Ze wil een stap naar voren zetten, maar hij wijkt geen centimeter. In plaats daarvan pakt hij haar met beide handen beet en schudt haar een paar keer hard heen en weer.
'Ik laat me niet meer misbruiken, snap je. Jij vindt mij een sukkel, maar ik ben geen sukkel. Ik kan zo je nek omdraaien, je in stukken snijden en je onder de grond stoppen. Niemand zal je hier vinden.'
Ze is zo bang. Het lukt haar niet meer te praten. Haar armen doen pijn door zijn stevige greep. Ze heeft geen schijn van kans. Ze moet hem overhalen. Hij moet haar geloven.
Dan laat hij haar los en stapt hij opzij.
Ze wil gaan lopen, maar durft het niet.
'Stephan, ik zweer het je. Ik dump je niet,' komt voorzichtig uit haar mond.
Hij draait zich om en loopt verder. Ze volgt hem op een meter afstand. Wat als hij zich bedenkt? Wat een creep. Dat mes. Hij is veel sterker.
Ze heeft geen keuze. De rollen zijn omgedraaid. Ze moet doen wat hij zegt.
Hij loopt hard. Ze kan hem amper bijhouden, maar ze zegt niets. De takken zwiepen tegen haar lijf. Ze heeft dorst, maar durft niet te vragen om te stoppen. Nu alles doen wat hij wil, is haar enige

redding. Hier had ze nooit aan gedacht. Dat hij haar zou bedreigen. Waarom die plotselinge ommekeer? Niet denken, alleen maar lopen, zo snel mogelijk.
Hij wil natuurlijk dat ze afhaakt, dat ze hem niet kan bijhouden. Wat een misselijke streek.
Hij laat de takken extra hard naar achter zwiepen. Dit houdt ze niet vol. Niet gaan huilen. Niet haar zelfbeheersing verliezen. Ze bijt op haar onderlip en sleept zich door het donker. Het lijkt een eindeloze strijd.
Dan is daar plotseling een opening. En tot haar enorme opluchting hoort ze het geluid van auto's.
'Een weg. Stephan, een weg!' roept ze.
Hij doet alsof hij haar niet hoort en loopt zelfs nog harder.
'Stephan, alsjeblieft, laten we even stoppen en wat drinken. Alsjeblieft.'
Dan staat hij stil. Haar hart gaat enorm tekeer. Hij zou haar nu kunnen...
'Goed, maar ik wil meteen verder,' zegt hij.
Hij geeft haar de fles en ze neemt een slokje. Haar hand beeft. Hij neemt zelf niets te drinken en stopt de fles terug in zijn rugzak.
'We kunnen proberen naar het dorp te liften?' vraagt ze voorzichtig.
'Dat lukt nooit,' antwoordt hij.
'Proberen kunnen we altijd. Als het niet lukt, lopen we verder. Stephan, we zijn er bijna. Het gaat ons lukken, man.'
Hij reageert niet meer.
Het is nog een paar honderd meter naar de weg en er zijn al zeker vijf auto's langsgekomen.
Het is halftwaalf. Nog niet te laat om te liften. Nog even volhouden. In het dorp is het anders. Daar is ze veiliger. Haar vertrouwen komt een beetje terug.
Als ze bij de weg aankomen, gooit Stephan zijn rugtas op de grond. 'Ik wil even roken,' meldt hij haar.
'Oké, ik ook. Stephan, we zijn een goed team, man. We hebben

het gehaald. Ik ga echt zorgen dat we een goede tijd hebben in Nederland.'
Hij lijkt niet meer naar haar te luisteren. Hij is in de berm gaan zitten en heeft zijn sigaret opgestoken.
Ze hoort een auto aankomen.
'Ik probeer het wel. Blijf jij maar even zitten. Een meisje alleen is vaak gemakkelijker.'
Ze wacht zijn antwoord niet af. Als de auto de bocht uit komt, steekt ze haar duim omhoog. Ziet hij haar wel? Het lijkt alsof de auto een beetje vaart mindert. Ze gaat een stukje verder op de weg staan. De auto raast voorbij.
Ze loopt terug naar Stephan en wil ook een sigaret draaien, maar weer is er het geluid van een naderende auto.
Ze strompelt naar de weg en steekt haar duim nog hoger in de lucht.
Het is een vrachtauto. Hij rijdt langzamer dan de andere auto en schijnt met zijn koplampen recht in haar gezicht.
Hij mindert nog meer vaart. Dan, als hij enkele meters van haar verwijderd is, knippert hij met zijn lampen.
'Stephan, ik probeer het. Je moet pas gaan staan als het lukt.'
Ze zet weer een stap op de weg.
De auto stopt. Er zit een man van een jaar of vijftig achter het stuur. Hij maakt de deur open en ze loopt op een drafje op hem af. Ze stapt op de eerste trede van het opstapje en knikt vriendelijk.
De man zegt iets onverstaanbaars en maakt een beweging met zijn hoofd, waaruit ze begrijpt dat ze kan instappen. Zo snel als ze kan kruipt ze over zijn benen en valt ze op de stoel naast hem.
'Rijden, snel, oui,' roept ze gespannen.
De man kijkt verbaasd, lacht en geeft gelukkig gas.
Ze ziet nog net dat Stephan opstaat. Het is te donker om zijn gezicht te zien.

36

Ilias

De laatste paar minuten is hij een paar keer door zijn knieën gezakt en het zweet gutst over zijn rug. Hoe graag hij het ook zou willen: dit houdt hij niet langer vol.

'Kim, we moeten even stoppen.' Hij laat haar voorzichtig van zijn rug glijden.

Hij draait zich om en ziet aan haar gezicht dat ze veel pijn heeft.

'Zullen we even gaan zitten?'

Ze knikt. Hij gaat achter haar staan, steekt zijn onderarmen onder haar oksels en stapt een paar passen naar achteren. Ze laat zich langzaam achteroverzakken en belandt op de natte bladeren.

'Misschien moeten we je voet een beetje omhoogleggen. Toen ik met voetbal mijn enkelbanden had verrekt, moest ik dat ook.'

Weer knikt ze.

Van de natte bladeren maakt hij een verhoging en legt voorzichtig haar voet erop.

'Heb je veel pijn?'

'Ja, maar als ik de voet niet beweeg, is het minder.'

'Dan rusten we hier een tijdje uit. We komen er wel, Kim. Wil je mijn jas?'

Er is een kleine glimlach op haar gezicht te zien. 'Wat ben je toch lief, maar je moet je jas zelf aanhouden, zeker nu je koorts hebt.'

'Het gaat best, hoor, ik ben alleen ontzettend moe. We moeten proberen even goed uit te rusten, dan halen we het wel. Weet je wat we nodig hebben? Een stuk zeil. Wat stom. Ik weet zeker dat we langs een stapel hout zijn gelopen waar een zwart doek overheen lag. Ik kan teruggaan, maar dan moet je hier

even alleen blijven.' Hij kijkt haar aan en ziet dat ze echt bang is.
'Hoe ver terug was dat?'
'Ik denk tien minuten lopen, misschien zelfs minder.'
'Ik weet het niet, Ilias. Wat als je verdwaalt?' Hij hoort haar zacht huilen.
Hij gaat naast haar zitten. 'Ik weet zeker dat ik je terugvind. We zijn niet van het pad af gegaan.' Voorzichtig streelt hij haar over haar rug.
'Oké, probeer het maar,' zegt ze zachtjes.
'Weet je wat we kunnen doen? We tellen telkens allebei tot honderd en dan roepen we heel hard elkaars naam. Ik denk dat je dat kilometers ver nog kunt horen.'
Door haar tranen heen lacht ze en ze zegt dapper: 'Oké, we proberen het.'
Hij buigt zich voorover en geeft haar een kus op haar voorhoofd. 'Kop op, je bent hartstikke sterk. Morgen is alles voorbij. Beloof je me dat je om de honderd tellen mijn naam roept?'
Ze knikt en haalt haar neus op.
'Goed, als ik mijn eerste stap zet, beginnen we te tellen. Nu.'
Hij draait zich nog een keer snel om en telt: drie, vier, vijf, zes... Het is lastig in hetzelfde ritme te tellen als hij over een tak moet stappen... Drieëndertig, vierendertig... Hij glijdt voortdurend weg met zijn voeten... Achtennegentig, negenennegentig, honderd... 'Kim!!!'
'Ilias!!!' Het is alsof ze nog heel dichtbij is. Verder... Twee, drie, vier ...
Shit, veter los, blijven tellen, vierenveertig, vijfenveertig, zesenveertig...
Als hij weer overeind komt, voelt hij zich duizelig. Hij zou iets moeten eten of drinken. Vijfenzestig, zesenzestig...
Het was een zwart doek, of was het plastic? Tellen, alleen maar tellen.
'Ilíááás!' Het is nog steeds duidelijk hoorbaar.
'Kíííím!' Opnieuw. Een, twee, drie, vier...

Het hout lag rechts van het pad. Zestien, zeventien...
Als ze het maar volhoudt. Die angst in haar ogen. Wat zijn het toch een vuile schoften... Twintig, eenentwintig, tweeëntwintig... Alles is nat. Waarschijnlijk zijn zijn schoenen ook niet waterdicht. Voeten goed neerzetten, eerst zijn hak, dan de rest... Achtennegentig, negenennegentig, honderd. 'Kíííím!'
Het blijft stil. 'Kíííím!'
Dan heel ver weg, onduidelijk, maar herkenbaar: 'Ilíááás!'
Goed zo, hou vol. Het moet hier toch niet zo heel ver vandaan zijn? Vier, vijf, zes...
Waarschijnlijk hoort ze me nu niet meer. Tien, elf, twaalf...
Dan denkt hij de stapel hout te zien. Hij rent en vergeet even te tellen. Yes, daar is het. Het is een enorm groot zeil, dat met een elastisch touw is vastgemaakt.
Hij draait zich om en schreeuwt zo hard als hij kan: 'Kíííím!'
Geen reactie, maar dat kan ook bijna niet. Hij trekt aan het touw en het schiet gemakkelijk los. Het zeil weegt zeker tien kilo. Hij vouwt het zo goed mogelijk op en gooit het over zijn schouder.
Hij loopt op een draf, maar moet dit na een paar minuten opgeven. 'Kíííím!' Het enige wat hij hoort, is zijn eigen gehijg.
'Kíííím!' Het zeil glijdt van zijn schouder en valt met een smak op de grond. Hij pakt het met twee handen beet, tilt het op en houdt het voor zijn borst. 'Kíííím!'
Het zeil komt voor zijn ogen. Hij stopt en gooit het over zijn andere schouder. 'Kíííím!'
'Ilíááás!'
'Kíííím!'
Bijna, hou vol. Niet stoppen.
'Ilíááás!' Het klinkt nu weer dichtbij. Nog een paar honderd meter. Hij moet even stilstaan om op adem komen.
'Ilíááás!'
'Jááá, ik kom eraan.'
Het laatste stuk gaat erg moeizaam. Zijn benen zijn zo zwaar. Al-

les draait. Hij stopt en haalt diep adem. Nog een keer diep ademhalen. Heel langzaam loopt hij verder.
'Ilias!' Ze is nu heel dichtbij.
Dan ziet hij haar en hij voelt zich zo opgelucht. Hij laat het zeil vallen en gaat er zelf meteen op liggen. 'Ik ben kapot, maar het is me gelukt. En weet je, Kim, onderweg is me duidelijk geworden dat het me ook zal lukken een oplossing te vinden voor die klotesituatie met mijn vrienden. Ik ga ervoor zorgen dat die klootzakken in Nederland en Suzie en Stephan gaan boeten voor hun walgelijke gedrag.'
'Wat goed van je. Geloof mij, ik voel me ondanks dit alles ook sterker worden. Wij zijn de moeite waard, Ilias, maar je moet me beloven me nu niet meer alleen te laten. Ik was zo bang,' zegt Kim.
'Ik spreid het zeil uit, dan gaan we erop liggen en trekken het over ons heen. Straks kan ik je weer dragen, maar op dit moment wordt alles zwart voor mijn ogen als ik sta.'
Op zijn knieën kruipt hij over de grond en vouwt het zeil zoveel mogelijk uit elkaar.
'Lukt het je om erop te schuiven?'
Kim zet haar handen in de grond en beweegt haar lijf moeizaam in de richting van het zeil. Hij maakt ter hoogte van haar voet weer een verhoging en probeert het onderste deel van het zeil over haar benen en buik te schuiven. Het is vochtig en stroef, en als hij in de buurt van haar knie is, hoort hij haar kreunen. Hij zou iets moeten verzinnen om het zeil bij haar voet omhoog te houden. Terwijl hij met zijn linkerhand het zeil een beetje optilt, voelt hij met zijn rechterhand over de grond. Met een paar stevige stokken moet het lukken. Hij zet ze rond haar voet en probeert er een klein houten tentje van te maken. Hij haalt een veter uit zijn schoen en bindt de houtjes in de top bij elkaar. Het lukt, maar het is nogal wankel. Heel voorzichtig gaat hij naast haar liggen en trekt hij het zeil stukje bij beetje over hun lichamen.

Ze liggen doodstil naast elkaar. Hij zoekt haar hand en vindt hem op haar buik.
'Zo meteen wordt het warm en als we opgewarmd en een beetje uitgerust zijn, gaan we verder,' fluistert hij in haar oor.
Ze knijpt even in zijn hand en staart naar de donkere lucht.

37

Kim

De gedachten die door haar hoofd flitsen zijn ontelbaar. Het zou haar nooit lukken ze allemaal na te vertellen. Er is ook geen volgorde of ordening in aan te brengen. Het vreemdste is dat er ook leuke en mooie beelden voorbijkomen. Kleine Kim op haar nieuwe fiets die ze kreeg toen ze zeven werd. Lachende Kim met Ronnie op ski's in Zwitserland, Trotse Kim in haar galajurk, wachtend op Jan-Willem die haar komt ophalen in een Jaguar. Dan weer zijn het beelden van kortgeleden: Ilias onderuitzakt op de markt, Simons gezicht, Stephans gezicht in de schuur bij de familie Picard. Ze is bang, ontzettend bang. Wat als Ilias niet verder kan? Wat als ze niet in de juiste richting lopen? Wat als ze binnen vierentwintig uur niets te drinken of te eten vinden? Toch is de angst niet allesoverheersend. Ze merkt het aan haar ademhaling. Ze heeft er controle over. Ze merkt het aan haar lijf. De pijn in haar voet is verschrikkelijk, maar het feit dat ze de pijn durft toe te laten, is voor haar een bewijs dat ze zichzelf is. Dat ze niet vlucht in een andere wereld. Ook het vasthouden van Ilias' hand helpt daarbij.

Ze kijkt opzij. Hij heeft zijn ogen dicht en ademt snel. Hij voelt warm. Wat als hij niet meer wakker wordt? Dat hij zoveel voor haar overheeft. Geen moment heeft ze aan zijn woorden getwijfeld. Hij laat haar niet in de steek. Ze knijpt heel zachtjes in zijn hand. Hij reageert niet, maar zijn ademhaling gaat gelukkig in hetzelfde tempo door.

Wat als ze tegen haar moeder of tegen haar vriendin Laura vertelt dat ze 's nachts naast een lieve, mooie jongen in een bos heeft gelegen?

Het gebonk in haar voet gaat precies gelijk met haar hartslag. Misschien helpt het als ze er iets omheen wikkelt? De sjaal van Ilias? Later.
De druk op haar blaas wordt steeds groter. Als ze nu opstaat, wordt Ilias wakker. Nee, nog even volhouden.
Het is kwart voor twaalf. Wat zullen Willem en Janine nu aan het doen zijn? Weer is er een snelle afwisseling van beelden. De politieagenten zitten aan de keukentafel en ondervragen Willem en Janine. Allerlei mensen kammen met het halve dorp de omgeving uit. Als ze de auto vinden, is er toch een grote kans dat ze ook in dit bos gaan zoeken? Ze zouden signalen moeten geven. Maar hoe? Roepen is de enige mogelijkheid.
En Suzie en Stephan? Waar zullen ze zijn? Nog in het bos? Op weg naar Nederland? Die Stephan. Wat zielig als je je zo laat beïnvloeden. Wat denkt hij hiermee te bereiken? Ze vinden hem, en dan?
En Ilias en zij? Straks zijn ze weer met zijn tweeën bij Willem en Janine. Wat haar betreft komt er niemand meer bij. Ze blijven gewoon samen hun hele leven in Frankrijk.
Ilias beeft. Hij kreunt in zijn slaap.
Over een paar uur wordt het licht, dan zien ze hen. Misschien zoeken ze wel met helikopters?
Ze moet het volhouden tot één uur. Dan maakt ze Ilias wakker en proberen ze het weer. Het speeksel in haar mond is opgedroogd. Er zijn mensen die in zulke situaties hun eigen urine opdrinken. Gadver...
De pijn is onhoudbaar. Ze draait heel voorzichtig haar been. Oh, wat doet dit pijn!
Koud heeft ze het niet meer. Door haar neus in en door haar mond uit. Neus in, mond uit. Ilias ademt niet door zijn neus. Zijn mond hangt een klein stukje open. Ze voelt heel even aan zijn wang. Wat warm! Hij draait zijn gezicht een beetje in haar richting en laat haar hand los. Hij moet toch wel heel erg uitgeput zijn.
Ze zou ook willen slapen en dan wakker willen worden in een

warm bed. Misschien wordt ze wel wakker in een ziekenhuisbed? Als de enkel gebroken is?
Dan luistert ze naar de geluiden om haar heen. Misschien roepen ze hun namen. Ze telt weer tot honderd. Soms lijkt het alsof er echt iemand haar naam roept. Weer tot honderd tellen.
Ze probeert onder het zeil zijn hand weer te vinden.
'Kim.'
Droomt hij?
'Ilias?'
'Ja, ik was in slaap gevallen.'
'Dat is goed. Blijf nog maar even liggen. Ik moet wel even plassen.'
'Ik help je, tenminste, als je dat wilt.'
'Nee, eigenlijk niet, maar het zal wel moeten. Het lukt me echt niet om overeind te komen.'
Hij slaat het zeil voorzichtig terug en loopt naar haar voeten. 'Ik zal heel voorzichtig zijn. Hij tilt het houten frame op en beweegt haar voet een stukje van het zeil. Dan gaat hij achter haar hoofd staan. 'Ik til je weer onder je oksels op, je kunt je been gewoon laten hangen.'
Duizenden scheermesjes snijden door haar enkel. Ze bijt op de binnenkant van haar wangen. Ze steunt op haar goede voet.
'Ilias, ik vind dit zo afschuwelijk.'
'Kom op, ik zie toch niets. Kun je je broek naar beneden doen? Dan laat ik je langzaam een beetje zakken en dan kun je plassen.'
Hij schopt het zeil een beetje naar voren.
Ze knoopt haar broek open en trekt hem tegelijkertijd met haar slipje naar beneden. Afschuwelijk.
Ilias zet een stap naar achter en laat haar voorzichtig weer een stuk naar beneden glijden.
Alles verkrampt. Dit gaat nooit lukken.
Het is alsof Ilias haar aanvoelt. 'Ik zal je afleiden. Let op: ik noem alle gerechten op die ik lekker vind. Komt ie. Couscous, kofte, kikkererwten, kebab, friet, frikadel, warme appeltaart, steak, Marokkaanse rijsttaart, kip, pasta, chocolademousse.'

Het lukt. Laat het alsjeblieft niet over mijn broek, of nog erger, over zijn schoenen komen.
Gelukkig is het donker. Ze knikt als ze klaar is en Ilias tilt haar weer omhoog. Het lucht wel enorm op.
Ze maakt haar broek weer dicht. 'En wat doen we nu?'
'Misschien is het beter om te wachten tot het wat lichter is?' zegt hij voorzichtig.
'Ik weet het niet, ik wil het liefst zo snel mogelijk dit bos uit, maar als jij denkt dat het beter is nog een paar uur te wachten, hou ik het vol.'
'We kunnen weer onder het zeil kruipen en elkaar onze geheimen vertellen, of onze toekomstplannen, onze gekste momenten, noem maar op.'
De pijn, de kou, de angst zit in haar lijf, maar Ilias maakt veel goed. 'Oké, een van mijn leerdoelen is dat ik anderen weer durf te vertrouwen en toe te laten in mijn leven. Kan ik daar mooi aan werken.'

38

Stephan

In plaats van te schelden, schreeuwen, schoppen, spugen, slaan, laat hij zich op de grond zakken.
Hij voelt zich een ongelooflijke sukkel. Altijd is er weer die beroemde zin van zijn vader: 'Mijn zoon is een loser.'
Hij pakt het mes uit zijn rugtas en steekt het met zoveel agressie in de grond dat het handvat er ook voor de helft in verdwijnt.
Wat nu? Hij kan niet terug! Niet naar Nederland. Niet naar huis! Hij kan dit keer echt geen kant meer op!
Hij zet de punt van het mes in zijn been en duwt. Hij verdient de pijn.
Er nadert een auto. Hij staat op, met het mes nog altijd in zijn hand. Wankelend loopt hij naar de weg en hij kijkt in het licht van de naderende koplampen. Denken kan hij niet meer. Lopen wel. De auto is de bocht voorbij en op niet meer dan tien meter afstand van hem. Als ze stoppen, zijn ze erbij. Ze doen wat ik zeg. Nu doen ze wat ik wil. Ik ben geen loser. Dit keer win ik.
De auto raast voorbij.
Hij valt op de grond, kruipt ineen en huilt als een klein kind. Hij huilt zoals hij nog nooit gehuild heeft.
Hij wil dood. Hij wil niemand meer zien. Nooit meer.
Sukkel, geen ballen, loser. Hij herhaalt de woorden totdat ze niet meer van elkaar te onderscheiden zijn.
Het geluid van de auto die nadert, dringt niet meer tot hem door. Hij hoort het dichtslaan van een deur en naderende voetstappen, maar kan er verder niets bij bedenken.
'Garçon, ça va? Tu est blessé? Allo.'

Er wordt aan zijn arm getrokken. Hij rolt op zijn rug en kijkt in de ogen van een man.
De man zit op zijn knieën naast hem en legt zijn hand op zijn voorhoofd.
'Allo, ça va?'
Hij begrijpt de man niet en schudt nee.
Dan probeert de man hem overeind te trekken. Hij laat het gebeuren en voordat hij het beseft zit hij overeind en valt het mes uit zijn hand. Een vreemde hand pakt het mes weg en een andere grijpt zijn bovenarm. Hij staat op en laat zich naar de auto leiden. Zonder tegenstribbelen zit hij na een paar seconden bij een wildvreemde man in een auto.
De man praat, maar hij verstaat het niet. De auto rijdt hard en bij iedere bocht voelt hij zich misselijk worden. Na een tijdje houdt de man op met praten en kijkt hij hem alleen nog maar onderzoekend aan.
Hij legt een hand op de arm van de man en vraagt smekend: 'Ilias en Kim?'
De man schudt zijn hoofd.
Het heeft geen zin. Hij moet uitstappen en Ilias en Kim zoeken.
'Ilias en Kim,' probeert hij nog een keer.
'La police vous aidé.'
Police. Het is goed. Breng me naar de politie. Prima.
De man kijkt hem voortdurend aan, maar hoe kan hij hem duidelijk maken wat er in zijn hoofd zit? Het is goed. Als die man hem aflevert bij de politie, is het goed. Ze mogen hem achter de tralies gooien.
Hij kan zijn tranen niet meer binnenhouden.
Het maakt niet meer uit. Hij heeft het verknald. Alles verknald. Loser. No balls.
Hij huilt en huilt, totdat de auto stopt.
Het is donker en er vallen tot zijn verbazing sneeuwvlokken op zijn lijf. Ze verdwijnen zodra ze de warmte van zijn lichaam voelen. Verdwijnen, dat is wat hij zou willen.

Nawoord

Dit boek is geïnspireerd op mijn bezoek aan Al Gardo.
Het verhaal en de personen zijn gefingeerd.

Al Gardo is een jeugdzorgboerderij in Zuid-Frankrijk. De jongeren die naar Al Gardo komen, worden door de Zuidwester en/of de Combinatie geselecteerd. Beide organisaties zijn onderdeel van Stichting Jeugdzorg.
Uitgangspunt is dat jongeren weer positieve zin krijgen en perspectief gaan ervaren.
De jongeren die op Al Gardo wonen, komen er om even helemaal weg te zijn uit Nederland. De reden is voor iedereen verschillend. Voor sommigen is het een kans om afstand te nemen van het criminele milieu waarin ze verzeild zijn geraakt. Voor anderen is het belangrijk afstand te nemen van de problemen binnen het gezin. Het kan ook zijn dat je naar Al Gardo komt om te ontdekken wat je nou allemaal wilt in de toekomst: Waar wil je wonen? Naar welke school wil je? Wat voor werk wil je gaan doen?
Iedere jongere die hier komt heeft een aantal vragen waaraan gewerkt moet worden. Bijvoorbeeld: Hoe kan ik leren niet altijd alleen aan mezelf te denken? Hoe kan ik leren 'nee' te zeggen? Hoe kan ik op een andere manier met mensen omgaan, zodat ze me niet zo onaardig vinden? Iedereen heeft andere persoonlijke doelen.
De jongeren leren 'samen te leven' door gezamenlijk aan bepaalde activiteiten deel te nemen. Zo moeten ze huishoudelijke taken verrichten, landbouw- en bosbouwwerk uitvoeren, dieren verzorgen en contacten onderhouden. Mensen, dieren en gewassen,

maar ook het stoken van de kachel vragen om structuur; er is dan ook een duidelijke dagindeling.
De jongens en/of meiden die naar Al Gardo komen, blijven in het algemeen tussen de zeven en negen maanden. Er is plaats voor zes jongeren van ongeveer 15 tot 23 jaar.
Jongeren doorlopen een individueel project, maar er is uiteraard ook sprake van een groep. Dit biedt mogelijkheden om van elkaar te leren en om samen dingen te doen.

Voor meer informatie: www.algardo.nl

Wil je weten hoe het Kim, Ilias, Suzie en Stephan is vergaan na hun vlucht met de gestolen auto, kijk dan op de website van Elle van den Bogaart voor Willems weekrapport: www.ellevandenbogaart.com

'Indringend verhaal waarin op invoelbare wijze afwisselend vanuit Wies, Isis en de dader wordt verteld hoe ze deze ingrijpende gebeurtenis ondergaan en verwerken.'
NBD

Elle van den Bogaart won met *De gele scooter* de Debutantenprijs van de Jonge Jury.

'Terwijl ik dit mooie, spannende boek zat te lezen, kreeg ik helemaal de kriebels. Alles loopt anders dan je in het begin dacht. Het is een soort detective met liefde erin, zo'n boek dat niet goed kan aflopen, maar je wel het gevoel geeft. Na het lezen durfde ik niet meer alleen naar boven.'
VRIJ NEDERLAND

10W09327/ T34/ 9789047513605